나의 사주명리
— 심화 편 —

일러두기

- 오행의 생극, 간지, 십신, 지장간을 표나 글로 정리한 엽서를 책에 삽입해 두었다. 책을 읽는 동안 곁에 두면 요긴하게 활용할 수 있을 것이다.
- 오행의 색은 목은 초록색, 화는 붉은색, 토는 황토색, 금은 흰색, 수는 검정색으로 표현했다.

십신의 활용부터 용신, 운의 적용까지

현묘 지음

날

나의 사주명리

심화 편

차례

1장. 십신의 심화

2장. 천간과 지지의 상호 작용

3장. 자리의 의미

4장. 길흉화복과 균형

5장. 용신의 활용

6장. 운의 작용

1장

십신의 심화

생과 극으로 살펴본 십신

봄이 여름을 낳고, 여름이 가을을 낳는다. 지구 회전이 이런 에너지의 변화와 흐름을 만든다. 이에 오행을 적용하여 생의 관점에서 관찰하면, 목-화-토-금-수-목의 흐름을 갖는다. 극의 관점에서 관찰하면 목-토-수-화-금-목의 흐름을 갖는다. 생은 자연스러운 이동의 의미가 있고, 극은 급격한 변화의 의미가 있다. 이 오행의 생과 극의 관계에 십신을 적용하면, 먼저 생의 관계는 비겁-식상-재성-관성-인성-비겁

오행의 생극

의 흐름으로 이해할 수 있다. 또한 극의 관계는 비겁 – 재성 – 인성 – 식상 – 관성 – 비겁의 흐름으로 이해할 수 있다.

비겁은 식상을 낳고, 식상은 재성을 낳는다. 또한 비겁은 재성을 극하고, 재성은 인성을 극한다. 오행의 생극에 십신을 대입하면, 사주의 목소리를 더욱 깊이 있게 이해할 수 있다.

생의 관계

먼저 십신의 생의 관계를 살펴보자. 봄이 여름이 되고, 여름이 가을이 되는 것처럼 생의 흐름은 자연스러운 순환의 과정이므로 십신의 생의 관계 역시 자연스러운 일의 진행, 원인과 결과로 파악할 수 있다.

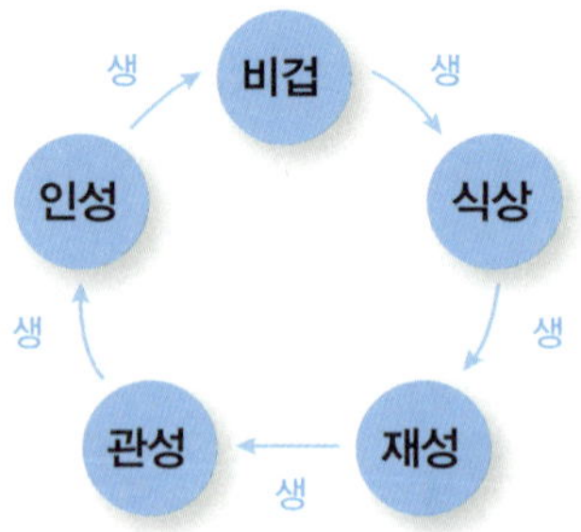

십신의 생

비겁이 식상을 생하다

사주원국•에서 비겁 옆••에 식상이 있을 경우, 비겁이 많은 사주에서 식상의 운•••이 올 경우에 해당한다. 비겁(일간)은 일간의 주체성 혹은 강한 힘을 암시한다. 주체성과 강한 힘은 식상인 세상을 향한 활동력으로 풀어냈을 때 비로소 참된 의미를 갖는다. 비겁 – 생 – 식상은 비겁의 힘이 식상으로 유통되어 건강한 표현력과 활동력을 갖는 것을 의미한다. 표현력과 활동력의 원만한 발현, 생산수단의 획득, 안정된 대인 관계, 연애와 출산의 적극성의 의미를 갖는다.

식상이 재성을 생하다

사주원국에서 식상 옆에 재성이 있을 경우, 식상이 많은 사주에서 재성의 운이 올 경우에 해당한다. 식상은 일간의 활동력과 표현력을 암시한다. 활동력과 표현력은 경제적인 가치로 연결되었을 때 진정한 의미를 지닌다. 식상 – 생 – 재성은 식상의 힘이 재성으로 유통되어 일간의 활동력과 표현력이 경제적인 가치를 갖는 것을 의미한다. 수고한 것의 결과 획득, 손과 발(몸)을 움직여 재물을 창출하는 것, 표현한 것이 세상에서 인정받음

• 사주원국은 사주팔자의 다른 말이다.

•• 여기서 옆은 좌우, 위아래 모두를 말한다.

••• 사주원국에 들어오는 운은 대운과 세운을 종합해서 말하는 것이다. 대운은 개별 사주에서 비롯된 10년 단위로 바뀌는 운의 흐름이고, 세운은 계묘년(2023년), 갑진년(2024년)처럼 우리가 모두 함께 경험하는 1년 단위로 바뀌는 운의 흐름이다.

의 의미를 갖는다. 식상 – 생 – 재성은 식상생재라는 이름으로 불린다.

재성이 관성을 생하다

사주원국에서 재성 옆에 관성이 있을 경우, 재성이 많은 사주에서 관성의 운이 올 경우에 해당한다. 재성은 사회적인 활동력이자 재물의 성취를 암시한다. 사회적인 활동력과 재물의 성취는 자연스럽게 관성인 명예심과 조직에서의 성취로 연결되었을 때 진정한 의미를 갖는다. 재성 – 생 – 관성은 재성의 힘이 관성으로 유통되어 명예 얻음과 조직에서의 성취, 즉 권력을 갖는 것을 의미한다. 재물을 바탕으로 권력을 얻게 되는 것, 사회적인 관계망을 조직화하여 더욱 체계적인 조직을 만드는 것, 활동 범위가 지역에서 전국으로 확장되는 것을 의미한다. 재성 – 생 – 관성은 재생관이라는 이름으로 불린다.

관성이 인성을 생하다

사주원국에서 관성 옆에 인성이 있을 경우, 관성이 많은 사주에서 인성의 운이 올 경우에 해당한다. 관성은 명예심과 조직에서의 성취를 암시한다. 명예심과 조직에서의 성취는 자연스럽게 인성인 자애로움과 통찰력으로 연결되었을 때 진정한 의미를 갖는다. 관성 – 생 – 인성은 관성의 힘이 인성으로 유통되어 만인에게 인정을 받는 것, 그리고 조직을 다스릴 수 있는 힘을 갖는 것을 의미한다. 조직에서 인정을 받아 높은 자리로 올라가는 것, 여러 사람에게 자애로움을 베푸는 것, 안정적으로 권력을 행사하는 것을 의미한다. 관성 – 생 – 인성은 관인생이라는 이름으로 불린다.

인성이 비겁(일간)을 생하다

사주원국에서 인성 옆에 비겁(일간)이 있을 경우, 인성이 많은 사주에서 비겁의 운이 올 경우에 해당한다. 인성은 자애로움과 통찰력을 의미한다. 자애로움과 통찰력은 비겁(일간)인 주체에게 전달되었을 때 진정한 의미를 갖는다. 인성 – 생 – 비겁은 인성의 힘이 비겁(일간)에게 유통되어 일간이 자애로움과 통찰력의 주인이 되는 상황을 의미한다. 자아 성찰을 통해 삶의 이치를 깨닫는 것, 안정적으로 삶의 방향성을 유지하는 것, 부모로부터 안정적인 사랑을 받는 것을 의미한다.

극의 관계

이번에는 십신의 극의 관계를 살펴보자. 여름이 가을을 극하고, 가을이 봄을 극하는 것은 자연스러운 과정이라기보다는 반대편을 향한 지극한 열망으로 이해할 수 있다. 따라서 십신의 극의 관계는 십신의 욕망이라는 관점에서 파악할 수 있다.

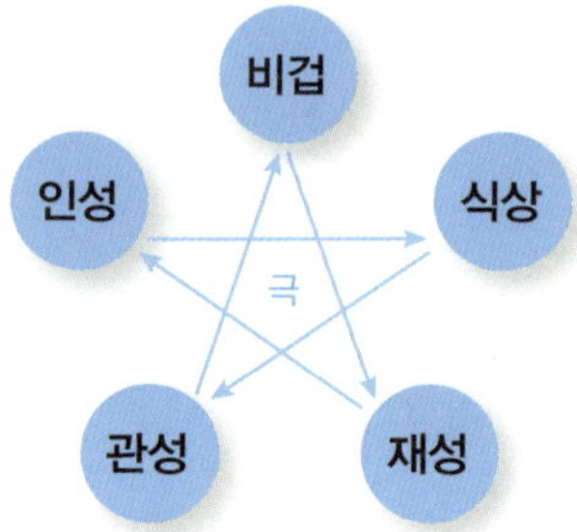

십신의 극

비겁(일간)이 재성을 극하다

사주원국에서 비겁(일간) 옆에 재성이 있을 경우, 재성이 주된 역할을 하는 사주에서 비겁의 운이 올 경우에 해당한다. 비겁은 주체성이자 스스로를 증명하려는 욕망이다. 재성은 사회적 관계의 힘이자 재물의 성취를 의미한다. 너무 강한 주체성, 스스로를 증명하려는 열망이 강하면 대인 관계에서 갈등이 생기고, 안정적인 재산 형성도 어렵다. 비겁 앞에 선 재성은 그 힘을 완전히 잃어버리기에 재성의 위축에 초점을 맞추어야 한다. 대인 관계의 문제, 재물의 손실, 사회적인 고립의 의미를 갖는다. 재성의 위축이 꼭 나쁜 것만은 아니다. 재성이 과도한 상황이라면, 비겁의 등장은 긍정적인 의미를 갖는다.

재성이 인성을 극하다

사주원국에서 재성 옆에 인성이 있을 경우, 인성이 주된 역할을 하는 사주에서 재성의 운이 올 경우에 해당한다. 재성은 사회적 교류를 바라는 욕망이자 재물을 모으려는 욕망이다. 인성은 자애로움과 통찰력을 의미한다. 사회적으로 교류하고 재물을 모으려면 집 밖으로 나와야 하고, 자애로움을 버려야 한다. 재성 앞에 선 인성은 그 힘을 완전히 잃어버리기에 인성의 위축에 초점을 맞추어야 한다. 공부가 잘되지 않음, 안정성이 떨어짐, 인간성 상실, 통찰력의 상실을 의미한다. 인성의 위축이 꼭 나쁜 것만은 아니다. 인성이 과도한 상황이라면, 재성의 등장은 긍정적인 의미를 갖는다. 재성 – 극 – 인성은 재극인이라는 이름으로 불린다.

인성이 식상을 극하다

사주원국에서 인성 옆에 식상이 있을 경우, 식상이 주된 역할을 하는 사주에서 인성의 운이 올 경우에 해당한다. 인성은 사적인 욕망을 참는 힘이자, 사물을 관조하고 수용하는 욕망이다. 식상은 활동력과 표현력을 의미한다. 사물을 관조하고 사적 욕망을 참아 내려면 입을 닫아야 하고 활동력이 제한되어야 한다. 인성 앞에 선 식상은 그 힘을 완전히 잃어버리기에 식상의 위축에 초점을 맞추어야 한다. 표현력의 저하, 활동력의 저하, 삶의 의욕 상실, 식욕과 성욕의 저하의 의미를 갖는다. 식상의 위축이 꼭 나쁜 것만은 아니다. 식상이 과도한 상황이라면, 인성의 등장은 긍정적인 의미를 갖는다.

식상이 관성을 극하다

사주원국에서 식상 옆에 관성이 있을 경우, 관성이 주된 역할을 하는 사주에서 식상의 운이 올 경우에 해당한다. 식상은 개성을 표현하려는 욕망이자 사적 욕망을 채우는 힘이다. 관성은 명예와 조직에서의 성취를 의미한다. 개성의 표현과 사적 욕망이 앞서면 사회적인 체면과 명예, 조직에서의 성취가 제한된다. 식상 앞에 선 관성은 그 힘을 완전히 잃어버리기에 관성의 위축에 초점을 맞추어야 한다. 명예 훼손을 당함, 송사가 잘 안 풀림, 합격운과 승진운이 낮음, 직장에서 위상이 흔들림을 뜻한다. 관성의 위축이 꼭 나쁜 것만은 아니다. 관성이 과도한 상황이라면, 식상의 등장은 긍정적인 의미를 갖는다.

관성이 비겁(일간)을 극하다

사주원국에서 관성 옆에 비겁(일간)이 있을 경우, 비겁이 주된 역할을 하는 사주에서 관성의 운이 올 경우에 해당한다. 관성은 조직의 명령에 복종하려는 열망이자 스스로 숙제와 책임을 감당하려는 욕망이다. 비겁(일간)은 주체성과 자아를 의미한다. 조직의 명령에 복종하고 공적인 책임감이 앞서면 주체성과 자아는 힘을 잃어버린다. 관성 앞에 선 비겁(일간)은 그 힘을 완전히 잃어버리기에 비겁(일간)의 위축에 초점을 맞추어야 한다. 건강이 안 좋아지고, 권위자에게 과도하게 억압당하며, 극심한 스트레스에 처한다는 의미다. 비겁(일간)의 위축이 꼭 나쁜 것만은 아니다. 비겁이 과도한 상황이라면, 관성의 등장은 긍정적

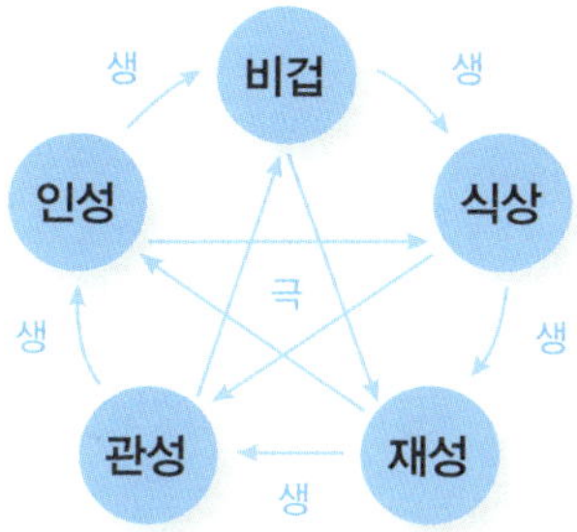

십신의 생극

인 의미를 갖는다.

일간을 기준으로 해서 오행의 관계를 십신에 대입하면, 위와 같이 나온다. 십신에 대입한 상생상극의 도표를 잘 관찰하면 사주의 기운을 이해하는 데 많은 도움이 된다.

왕상휴수사

하나의 간지는 주변 간지에 영향을 받는다. 을목의 아래에 해수가 있을 때와 유금이 있을 때 여건이 완전히 달라진다. 해수가 있을 때는 지지인 해수가 천간인 을목을 생해 주는 관계(수생목)이기에 을목에 힘이 더해지고 을목이 더 안정된다. 반면 유금이 있을 때는 지지인 유금이 천간의 을목을 극하는 관계이기에 을목의 힘이 빠지고 을목이 더 불안정해진다. 하나의 간지는 사주팔자의 도표에서 아래와 위, 좌우, 심지어는 대각선 방향으로 아래, 위에 놓인 간지들의 영향을 받아 힘이 빠지기도 하고, 강해지기도 한다. 하나의 간지가 다른 간지에 받는 영향을 다섯 가지 유형으로 구분하고 각 단계를 '왕旺, 상相, 휴休, 수囚, 사死'라고 한다.

왕상휴수사는 하나의 천간이 지지의 상황에 따라 어떤 기운의 변화를 갖는지를 나타내는 방법론이다. 왕상휴수사는 기본적으로는 천간과 월지의 관계를 정리한 이론이지만, 이를 활용해 한 주住 안에서의 천간과 지지의 관계 그리고 천간과 천간의 관계, 지지와 지지의 관계를 파악할 수 있다.

왕

왕성한 힘을 말한다. 천간은 지지에 어떤 오행이 올 때 힘이 왕성해질까? 천간과 같은 오행이 지지에 올 때 왕성해진다. 즉 천간의 힘이 강화되고 튼튼해진다. 이를 십신에 대입하면, 지지에 비겁이 놓이면 천간의 힘이 강해진다.

왕의 간지 예시

	시주	일주	월주	연주
천간		기준 甲 갑목		
지지		비겁 寅 인목		

지지에 비겁이 있는 경우 천간의 힘이 더 왕성해진다.

천간과 지지의 관계뿐만이 아닌 천간과 천간의 관계, 지지와 지지의 관계에서도 왕의 이론을 적용할 수 있다. 왕의 이론을 간단히 정리하면, 하나의 간지는 주변에 같은 오행의 기운(비겁)이 있을 때 힘이 강해진다는 것이다. 비겁의 관계는 친구와 동료 사이로 볼 수 있으므로, 친구들과 함께 뭉쳐 있으면 마음이 든든한 것과도 같다.

왕의 힘의 예시

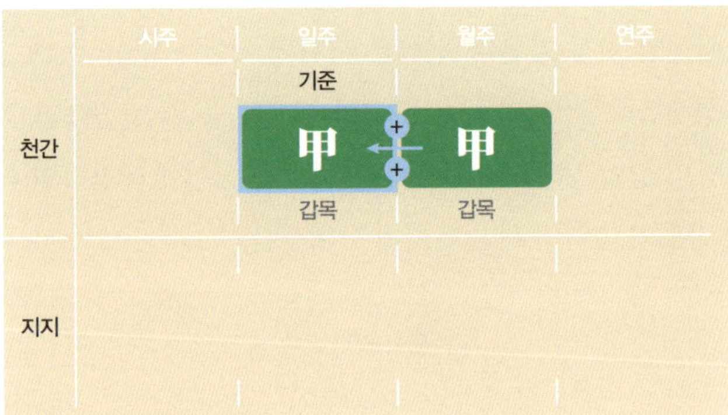

갑목은 천간의 갑목에 의해 강한 힘을 얻는다.

인목은 지지의 묘목에 의해 강한 힘을 얻는다.

상

서로 돕는 힘을 말한다. 즉 하나의 간지가 다른 간지를 생할 때의 관계다. 천간을 생해 주는 오행이 지지에 올 때 천간은 안정적으로 충족된다. 즉 천간이 안정되어 여유가 생긴다. 십신의 개념으로는 인성이다. 지지에 인성이 놓여 있을 때 천간은 안정적으로 힘을 발휘할 수 있다.

상의 간지 예시

	시주	일주	월주	연주
천간			기준 丙 병화	
지지			인성 寅 인목	

지지에 인성이 있는 경우 천간은 안정적인 힘을 갖는다.

왕과 마찬가지로 다양한 관계에서 상의 이론을 적용할 수 있다. 상의 이론을 간단히 정리하면, 하나의 간지는 주변에 생해 주는 오행의 기운(인성)이 있을 때 힘이 충족된다는 것이다. 인성의 관계는 어머니와 자식의 관계로 볼 수 있으므로, 어머니의 조력을 받아 평온함을 느끼는 것과도 같다.

상의 힘의 예시

경금은 천간의 기토에 의해 안정적인 힘을 얻는다.

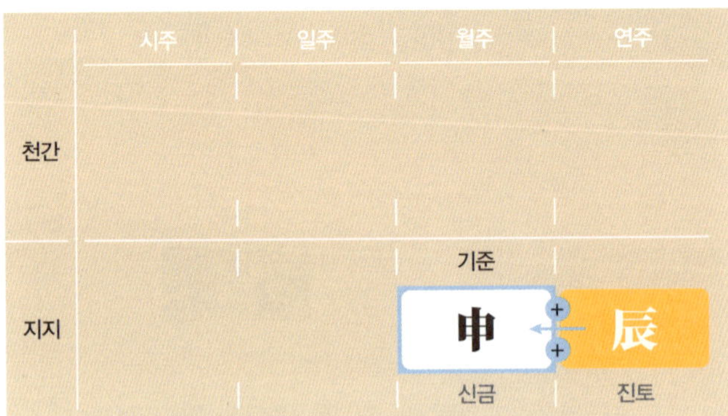

신금은 지지의 진토에 의해 안정적인 힘을 얻는다.

휴

쉬어 가는 단계를 말한다. 상과 반대로 보면 되는데, 천간을 생해 주는 오행이 상이었다면, 천간이 생해 주는 오행을 '휴'라

휴의 간지 예시

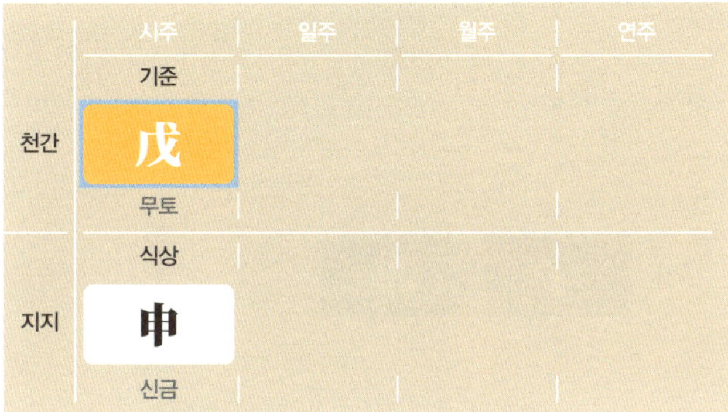

지지에 식상이 있는 경우 천간은 힘이 빠진다.

고 한다. 천간이 생해 주는 오행이 지지에 올 때 천간은 힘이 빠진다. 왕과 상이 천간의 기운을 더해 주는 관계라면, 휴는 기운을 빼 내는 관계다. 결국 천간 입장에서는 자기 기운을 다른 곳

휴의 힘의 예시

임수는 천간의 갑목으로 인해 힘이 빠진다.

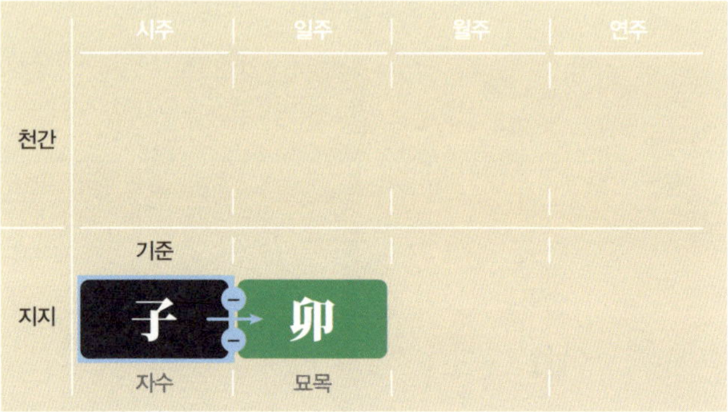

자수는 지지의 묘목으로 인해 힘이 빠진다.

으로 흘려보내는 것이니 기운의 배출로 인해 힘이 빠지는 것이다. 십신의 개념으로는 식상이다. 지지에 식상이 놓여 있을 때 천간은 활발하게 움직이는 바람에 힘이 빠진다.

역시 다양한 관계에서 휴의 이론을 적용할 수 있는데, 간단하게 정리하자면 하나의 간지는 주변에 그 간지가 생하는 오행의 기운(식상)이 있을 때 힘이 빠진다. 식상은 활동력의 의미가 강하므로 왕성한 활동력 탓에 힘이 빠지는 것과도 같다.

수

가두는 단계를 말한다. 하나의 간지가 다른 간지를 극할 때의 관계를 '수'라고 한다. 천간이 극하는 오행이 지지에 올 때 천간은 강한 힘으로 지지를 움켜쥔다. 움켜쥐어서 가두는 것이 수이

수의 간지 예시

지지에 재성이 있는 경우 천간은 힘을 소모한다.

다. 수 역시 기운을 빼 내는 관계이다. 상대를 가두기 위해 힘을 소모하는 것이다. 십신의 개념으로는 재성이다. 지지에 재성이 놓여 있을 때 천간은 자신의 힘을 소모하며 지지를 제어한다.

수의 힘의 예시

갑목은 천간의 무토로 인해 힘을 소모한다.

유금은 지지의 묘목으로 인해 힘을 소모한다.

다양한 관계에서 수의 이론을 적용할 수 있는데, 간단하게 정리하자면 하나의 간지는 주변에 그 간지가 극하는 오행의 기운(재성)이 있을 때 힘이 빠진다. 재성은 쟁취의 의미가 강하니 왕성한 욕망 탓에 힘을 소모하는 것과도 같다.

사

죽는 단계를 말한다. 하나의 간지가 다른 간지에 의해 극을 당할 때의 관계를 '사'라고 한다. 천간을 극하는 오행이 지지에 올 때 천간은 그 지지에 제압당한다. 제압당해 활동력을 상실한 것이 '사'이다. 사 역시 기운을 빼 내는 관계이다. 상대에게 제압당해 힘이 소모된 것이다. 십신의 개념으로는 관성이다. 지지에 관성이 놓여 있을 때 천간은 지지에 제압당해 힘을 빼앗긴다.

사의 간지 예시

지지에 관성이 있는 경우 천간은 힘을 빼앗긴다.

다양한 관계에서 사의 이론을 적용할 수 있는데, 간단하게 정리하자면 하나의 간지는 주변에 그 간지를 극하는 오행의 기운(관성)이 있을 때 힘이 빠진다. 관성은 하나의 기운이 관성으로

사의 힘의 예시

신금은 천간의 정화로 인해 힘을 빼앗긴다.

자수는 지지의 미토로 인해 힘을 빼앗긴다.

인해 제압당하는 의미가 강하므로 강한 제압 탓에 힘을 빼앗기는 것과도 같다.

정리하면 하나의 간지는 같은 오행이 주변에 있거나, 생을 받는 상황에 놓일 때 힘이 강해진다. 반면 생을 하거나, 극을 하거나, 극을 당하는 상황에 놓이면 힘이 빠진다. 이를 십신에 대입하면, 인성이나 비겁이 주변에 있으면 힘이 더해지고, 식상이나 재성, 관성이 주변에 있으면 힘이 약해진다. 십신의 관점에서 비겁과 인성 중 어느 기운이 힘을 더 강하게 해 줄 수 있느냐, 식상·재성·관성 중 어느 기운이 힘을 더 빠지게 하느냐를 놓고 논쟁할 수도 있지만, 그것은 큰 의미가 없다.

중요한 것은 사주팔자의 도표에서 모든 간지는 주변 간지의 영향을 받아 힘이 더해지고 빠지고 한다는 것이다. 주변의 비겁·인성은 힘을 더해 주고, 식상·재성·관성은 힘을 빼 낸다는

힘	십신	구분	갑목 기준
힘이 더해진다	비겁	왕	갑을인묘 甲乙寅卯
	인성	상	임계자해 壬癸子亥
힘이 빠진다	식상	휴	병정사오 丙丁巳午
	재성	수	무기술진미축 戊己戌辰未丑
	관성	사	경신신유 庚辛申酉

왕상휴수사와 힘의 관계. 왕상=힘을 더해 준다, 휴수사=힘을 빼 준다.

간단한 이치를 통해 사주원국 안 여덟 글자 각각의 힘의 크기를 가늠할 수 있다. 또한 사주원국의 주인인 일간의 힘의 크기를 판단할 수 있다. 이를 종합하여 사주원국 안 오행의 관계를 파악할 수 있고, 오행의 기운이 어느 방향으로 치우쳐 있는지 확인할 수 있다. 오행의 관계와 기운의 치우침은 뒤에서 살펴볼

사주팔자 각각의 힘의 크기를 판단하는 사주 예시

위아래, 좌우에 놓인 간지들과의 관계를 왕상휴수사로 구분했을 때 가장 강한 힘을 가진 간지는 월간의 무토이다. 반면 가장 약한 힘을 가진 간지는 일지의 자수이다.

일간 기준으로 일간의 힘의 크기를 판단하는 사주 예시

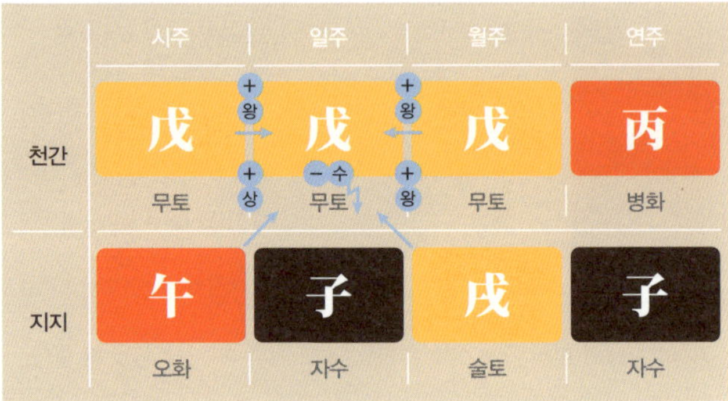

일간의 힘을 살피기 위해 위아래, 좌우 그리고 대각선의 위치까지 고려했다. 이 사주의 일간은 아주 강한 힘을 가지고 있음을 확인할 수 있다.

길흉화복을 판단하는 소중한 지표가 된다.

식상이 많은 사주의 특징

1권에서 십신의 특징에 대해 정리했는데, 여기서는 십신의 많고 적음에 따라 어떤 특징이 드러나는지 다루려고 한다. 하나의 십신이 과도할 때, 어떤 십신이 필요한지도 다룬다. 무엇이 필요한지를 아는 것은 균형과 개운, 길흉화복의 방향성을 잡기 위해 첫걸음을 내딛는 것과 같다. 오행의 상생상극을 염두에 두고 여행을 떠나 보자.

일간의 기운은 식상을 통해 흘러 나간다. 물통에 구멍이 뚫리면 물이 빠져나가듯이, 목 기운 주변에 화 기운이 있다면 목 기운은 화 기운의 방향으로 기운을 이동시킨다. 계절이 흘러가는 것처럼, 꽉 찬 위치에너지가 운동에너지로 바뀌는 것처럼 기운의 이동은 자연스러운 현상이다. 하지만 일간 주변에 식상이 많다면 일간은 자기 힘을 증명할 기회도 없이 주변의 식상으로 기운을 흘려보내 버린다. 물통에 구멍이 많이 뚫려 있으면, 미처 물이 차기도 전에 모두 흘러가 버리는 형국이다.

일간을 주체, 식상을 표현력과 활동력으로 보았을 때, 식상이 많은 사주는 주체의 힘에 비해 표현력과 활동력이 지나치게 왕성한 것이 본질이다. 이에 근거해 다음과 같은 특징들이 나타난다.

많은 말, 정제되지 않은 표현

과도한 식상은 생각을 미처 정리하기 전에 말이 앞서는 것을 의미한다. 단어를 많이 늘어놓지만 그 단어의 맥락이 정리되지 않는 경우가 많으며, 자신도 어떤 의미를 가지고 말을 했는지 알 수 없는 경우가 많다. 기본적으로 말이 많은 수다스러운 사람이 많으며, 그렇기에 나쁜 의도는 없지만 말로 남에게 상처를 주는 경우가 많다. 또한 책임지지 않을 말을 내뱉어 신뢰하기 어려운 사람이라는 인상을 풍긴다.

직업적으로는 말을 많이 해야 하는 직업과 잘 어울린다. 말을 많이 할 수밖에 없는 사주의 특성을 직업적으로 풀어내면 좋은 것이다. 사주에 식상이 많은 사람이 말을 한마디도 할 수 없는 직업에 종사한다면 집에 돌아와서 그 에너지를 풀어내야 한다. 친구, 가족과 쉴 새 없이 대화를 해서 기운을 풀어내야 하는 것이다.

과도한 분주함

식상은 활동력의 근원이다. 식상이 많으면 기본적으로 부산한 활동력을 가지고 태어났음을 암시한다. 활동력의 방향이 일정하지 않고, 다양한 방향으로 분산되어 있으므로 이리 갔다, 저리 갔다 하며 분주하게 움직여야 직성이 풀린다. 엉덩이를 붙일 새 없이 끊임없이 시도하고 일을 만들어 내며, 한시도 가만히 있지 못하는 사람이 많다. 생각보다 몸이 먼저 튀어 나가는 것이다. 목표와 의도를 생각하지 않고 행동부터 하기에 소득 없이 움직이는 경우가 많고, 그 때문에 의도하지 않아도 다른 사람의 수족 역할을 하는 경우가 많다.

직업적으로는 시종일관 움직여야 하는 직업과 잘 어울린다. 반면 엉덩이를 붙이고 가만히 앉아 있어야 하는 직업이라면 좀이 쑤셔서 견딜 수 없다. 직업으로 활동력을 풀어내야 한다. 기자, 운수업자, 외근직 영업자, 기획자, 상품의 진열 관리자, 컨베이어 벨트 위에서 분주하게 손을 놀리는 공장 노동자가 어울린다. 분주한 활동력이 보장된 직업 분야에서 가장 크게 성취할 수 있다.

명랑, 낙천, 식도락

식상은 기본적인 욕구 충족과 관련이 깊다. 식상이 많은 사람은 먹고, 마시고, 대화하는 것이 가장 큰 즐거움이며, 건강한 성적인 활동도 식상이 많은 사람이 추구하는 즐거움이다. 이러한 욕구의 충족이 명랑하고 낙천적인 삶의 바탕이 되기에 늘 명랑하고 낙천적인 기운이 넘친다. 하지만 고민해서 풀어야 할 문제도, 먹고 마시는 것으로 해결해 버리므로 정작 진짜 인생의 중요한 과제는 풀지 못한 채 허덕이는 경우가 많다. 경제적으로도 늘 쪼들리는 경우가 많은데, 욕구 충족에 많은 돈을 써 버리기 때문이다. 새로운 물건, 맛있는 음식이 있으면 경험해 봐야 직성이 풀리기에 돈이 모일 새가 없다.

직업적으로는 유행을 따르고 변화가 많은 직업에 종사하면 좋다. 옷이나 화장품 판매를 하거나 블로거나 유튜버로 활동하거나 홍보, 요식업계에 종사하면 생동하는 기운을 잘 풀어낼 수 있다.

필요한 기운

식상이 많은 사주는 구설이 따르기 쉽고, 일을 벌이기만 하고 결과물에 도달하지 못하는 경우가 많다. 또한 먹고 노는 데 집중해 중요한 과제를 해결하지 못하는 경우가 많다. 이는 모두 일간의 기운이 과도하게 흘러가 버린 데서 비롯되는데, 이를 해결하려면 일간의 기운을 채워 줘야 한다. 즉 물통에 구멍이 많이 뚫린 것이 문제라면, 물통에 계속 물을 채워 줄 수도꼭지를 연결하면 되는 것이다. 나간 만큼 보충해 줄 수 있다면 단점이 장점으로 승화될 수 있다.

일간에서 흘러 나가는 기운이 식상이라면, 일간에게 흘러들어 오는 기운은 바로 인성이다. 즉 물통에 뚫린 구멍들이 식상이라면, 인성은 물통에 물을 채워 주는 수도꼭지가 되는 것이다. 식상은 어떻게든 빼 내려고 하는 기운이라면, 인성은 무슨 수를 써서라도 채우려는 기운이다. 식상이 많은 사주에서는 인성이 중요한 역할을 하므로, 일간 주변에 인성의 기운이 있다

식상이 많은 사주

물이 찰 겨를이 없다.

필요한 기운

인성의 도움으로 균형을 잡을 수 있다.

면 균형 잡힌 사주가 된다. 일간 주변에 식상만 가득하고 인성의 기운이 없다면 운으로 흘러들어 오는 인성의 기운을 기대해 볼 수 있다.

왕상휴수사의 관점으로 보면, 식상은 일간의 기운을 빼 내 가는 요소이다. 식상이 많은 사주는 일간의 기운을 빼 내 가는 힘이 강한 상황을 의미하므로, 일간은 힘의 부족에 시달릴 수밖에 없다. 따라서 인성으로 일간의 힘을 더해 줘야 하는 것이다.

오행의 상생상극 표로 살펴보면, 일간이 식상을 생하는 작용으로 인해 식상이 과도하게 일간의 기운을 빼 내 가고 있을 때, 인성이 일간을 생하는 작용으로 일간을 도와줄 수 있다.

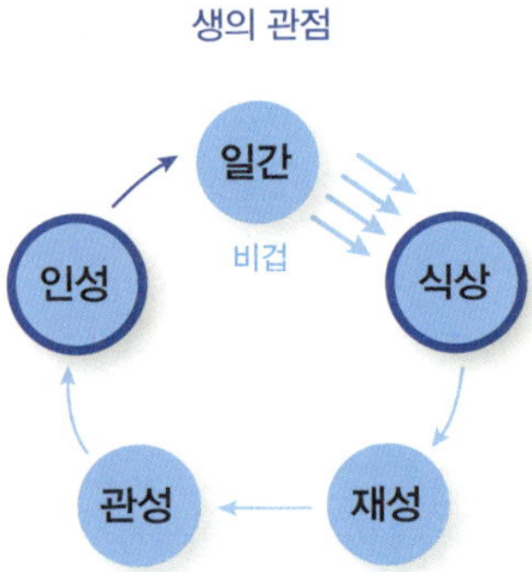

식상으로 빠져나간 기운을 인성으로 보충할 때 균형을 잡을 수 있다.

또한 극하는 작용으로 살펴보면, 인성은 식상을 극한다. 과도한 식상을 인성이 제어해 줌으로써 일간을 도와준다.

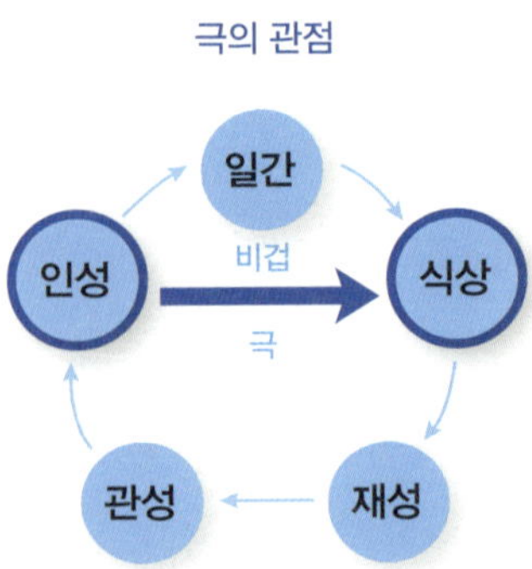

인성이 과도한 식상을 제어하여 균형을 잡을 수 있다.

식상이 많을 때의 부정성	식상이 많은 사주가 인성을 갖추었을 때의 긍정성
구설이 따르기 쉽고, 말을 함부로 해서 적을 만들고, 일을 그르친다.	말을 많이 하지만 정말 참아야 할 때는 참는다.
일을 벌이기만 하고 결과물에 도달하지 못한다.	일을 벌이기 전에 먼저 심사숙고한다.
노는 데 집중하고, 취미 활동에 인생을 소모한다.	노는 데 집중하다가도 특유의 통찰력을 발휘해 안정적으로 성취한다.

식상이 많은 사주에서 인성이 제 역할을 한다면, 위 표처럼 식상이 많아 생긴 단점이 보완된다.

단순하게 말하면, 식상은 나가서 놀려는 힘이고, 인성은 참고 버티는 힘으로 볼 수 있다. 나가서 놀려는 마음이 너무 강한 사람에게 참고 버티는 힘이 있는 것과 없는 것은 큰 차이가 있다.

식상이 많은 사주에서 인성이 중요한 역할을 하는 것을 이해한다면, 실제 사주 상담의 현장에서 다양하게 활용할 수 있다.

사주원국에 인성이 있는 사주라면, 인성을 아끼고 보호해야 한다는 조언을 해 줄 수 있고, 인성이 없는 사주라면, 인성이 들어오는 운의 흐름을 기대해 보자는 조언을 할 수 있을 것이다.

인성이 있는데 어떤 조건에 의해 흔들리고 있다면, 그 시기에 유의하라는 조언을 할 수 있을 것이다. 인성에 해당하는 육친(주로 어머니)과의 관계를 소중히 여기라는 조언도 가능하다. 더불어 인성에 해당하는 행동 양식인 일기 쓰기, 명상, 종교 입문,

생각하기 등에 관심을 기울이라고 말할 수 있다. 인성이 수 기운이라면, 수 기운을 끌어당길 수 있는 방책을 통해 인성의 기운을 보존하라고 조언할 수 있겠다.

	시주	일주	월주	연주
	식상	일간	관성	식상
천간	乙	癸	戊	乙
	을목	계수	무토	을목
지지	卯	卯	寅	卯
	묘목	묘목	인목	묘목
	식상	식상	식상	식상

식상이 많은 사주의 예시. 계수 일간의 사주에 목 식상의 기운 6개가 자리 잡고 있다. 식상이 많은 사주이다.

	시주	일주	월주	연주
	식상	일간	인성	비겁
천간	庚	戊	丁	己
	경금	무토	정화	기토
지지	申	申	卯	亥
	신금	신금	묘목	해수
	식상	식상	관성	재성

식상이 많은 사주에 인성이 보완되어 균형 잡힌 사주의 예시. 일지, 시지, 시간에 식상이 강하게 자리 잡고 있다. 월간의 정화가 균형을 잡는 데 큰 도움을 주고 있다.

식상이 부족한 사주의 특징

일간의 기운은 식상을 통해 흘러 나간다. 식상이 부족하면, 일간은 자신의 기운을 흘려보낼 방도가 없다. 계절의 흐름처럼 기운의 흐름은 자연스럽고도 필수적인 과정인데, 식상이 없다면 일간은 자신의 힘을 증명할 방도가 없다. 물통에 구멍이 뚫려 있지 않아 물이 물통 안에 고스란히 고여 있는 형국이다.

일간을 주체, 식상을 표현력과 활동력으로 보았을 때, 식상이 부족한 사주는 주체의 힘에 비해 표현력과 활동력이 지나치게 부족한 상황이다. 식상이 부족한 사주는 다음과 같은 특징들이 나타난다.

적은 말, 소통의 어려움

식상은 자신을 드러내는 기운이다. 식상이 부족하면 표현력이 떨어진다. 말할 타이밍을 놓치거나, 말을 하더라도 상황에 어울리지 않는 단어를 힘겹게 내뱉는 경우가 많다. 글을 쓰더라도 단어를 제대로 조합 못해 문장다운 문장을 구성하지 못하는 경우가 많다. 할 말은 많은데 입이 없는 경우로도 볼 수 있다. 그만큼 주변 사람들과 원활히 소통하는 데 어려움을 겪는다. 의도를 명확하게 전달하지 못하기에 스스로 답답한 상황에 처하는 경우가 많으며, 뒤돌아서 후회하는 일이 많다.

활동성의 저하

식상은 손과 발, 즉 활동성을 의미하는 기운이다. 식상이 부족하면 활동력이 떨어진다. 어떤 결과를 얻어 내려면 움직이고 시도해야 하는데, 식상의 힘이 부족하기에 움직이지 않고, 제자리에서 결과를 얻어 내려는 경우가 많다. 또한 과정을 건너뛰고 결과를 얻어 내려 하기에 일의 진행 과정이 매끄럽지 않은 경우가 많다. 남의 활동성에 의지해야 하고, 길이 뚫렸을 때에만 간신히 몸을 움직일 수 있기에 수동적이고, 의존적인 성향을 보이는 경우가 많다.

흥미와 관심의 부재

식상은 세상에 대한 호기심과 관심, 도전의 힘을 의미한다. 새로운 물건, 배움, 취미를 발견하고 적극적으로 도전하는 힘이다. 식상이 부족하면 세상에 대한 호기심이 부족하고, 새로운 것에 대한 관심이 적다. 이미 지나간 것, 익숙한 것에 안주하는 사람이 많으며, 도전을 꺼리고 변화와 새로움을 모른 척한다. 새로운 물건과 문화는 생동감을 불러일으키는데, 식상이 부족하면 생동감, 낙천성과는 거리가 먼 삶을 살아가는 경우가 많다.

필요한 기운

어떤 기운이 과도하다면, 두 가지 방법으로 해결할 수 있다. 첫 번째 방법은, 그 과도한 기운을 제어하는 것이다. 식상이 과도했을 때는 인성이 도움이 되는데, 인성이 식상을 극해서 제어하기 때문이다. 운으로 인성의 운이 들어오거나, 사주원국에 인성을 갖추고 있다면, 과도한 식상을 제어할 수 있어서 좀 더 균형 잡힌 삶을 살 수 있다. 두 번째는, 과도한 기운으로 인한 일간의 불균형을 보완하는 것이다. 식상이 과도하면 일간은 기운을 많이 빼앗긴다. 일간의 기운이 부족하므로 인성으로 일간의 기운을 보충해 주면 일간은 균형을 잡을 수 있다. 식상이 많은 사주에서 인성이 아주 중요한 역할을 하는 이유는, 인성이 이 두 가지 작용을 동시에 수행해 내기 때문이다.

그렇다면 어떤 기운이 부족한 경우의 해결책은 무엇일까? 부족한 기운을 채워 주는 것밖에는 방법이 없다. 사주원국의 기운은 태어나면서 이미 결정된 것이므로, 새삼스럽게 채울 수도 없고, 누군가로부터 빌려 올 수도 없다. 따라서 시기에 따라 흘러들어 오는 운의 작용을 기대해 볼 수 있다. 대운으로 식상 운이 들어올 때, 세운으로 식상 운이 들어올 때 식상이 부족해서 생긴 단점이 보완되어 균형 잡힌 삶을 살아갈 수 있는 것이다.

단순하게 말하면, 식상이 부족할 때 필요한 기운은 식상이며, 운으로 식상의 기운이 들어오면 식상이 부족해서 생긴 단점이 보완된다. 다만 사주원국에 인성의 기운이 너무 강하면 식상의 운이 들어오더라도 제대로 효과를 보기는 어렵다. 강한 인성이 운으로 들어오는 식상을 튕겨 내기 때문이다.

	시주	일주	월주	연주
	인성	일간	관성	재성
천간	甲	丙	癸	辛
	갑목	병화	계수	신금
지지	午	午	巳	酉
	오화	오화	사화	유금
	비겁	비겁	비겁	재성

식상이 부족한 사주의 예시. 병화 일간의 사주이다. 토 식상의 기운을 찾아볼 수 없다.

재성이 많은 사주의 특징

일간의 기운은 재성을 극한다. 극한다는 것은 눈앞에 보이면 잡아서 내 것으로 취한다는 의미다. 눈앞의 사냥감을 노리는 맹수의 강렬한 투쟁심과 집중력이 재성의 핵심이다. 극을 당하는 입장에서는 완전한 죽음이 예비되어 있고, 극을 하는 입장에서는 압도적인 승리가 예비되어 있다. 일간과 식상이 부드러운 상생과 조화, 순환의 흐름이라면, 일간과 재성은 극단적이고 격렬하며 집요하고 폭발적인 관계이다.

식상이 많은 상황에서 일간은 자신도 모르게 기운을 흘려보내 소모해 버린다면, 재성이 많은 상황에서는 한꺼번에 폭발적으로 기운을 소진한다. 맹수의 눈앞에 사냥감이 쉴 새 없이 나타나는 상황으로 볼 수 있는데, 맹수는 사냥하는 매 순간 최대한 집중하므로 두 번 세 번 사냥하다 보면 완전히 탈진한다. 재성이 많은 사주는 사냥감이 너무 많아 완전히 탈진해 버린 형국이다.

일간을 주체, 재성을 물욕과 쟁취의 힘으로 보았을 때, 재성이 많은 사주는 주체의 힘에 비해 성취해야 할 목표가 지나치게 왕성한 것이 본질이다. 이에 근거해 다음과 같은 특징들이 나타난다.

너무 많은 관심

재성은 세상에 대한 진지한 관심과 열정을 의미한다. 식상의 관심이 단순한 호기심 수준이라면, 재성은 깊이 들어가 온전히 내 목소리를 낼 수 있는 수준의 몰입을 의미한다. 재성이 있다면 쉽게 특정 분야의 반전문가 수준에 도달할 수 있다. 몰입이라는 재성의 특징이 주는 장점이다.

하지만 재성이 과도하면 관심의 대상이 다양하고, 몰입해야 할 대상도 그만큼 많아진다. 세상 모든 일에 전문가가 되려 하고, 또 재능이 많아 전문가 수준으로까지 성취할 수 있기 때문에 늘 재미와 성취를 쫓아다니게 된다. 하지만 너무 많은 관심과 몰입 탓에 일간의 기운은 완전히 소모된다. 취미 활동에 에너지를 모두 쏟아붓고 일상에서는 늘 탈진한 상태로 살아가는 경우가 많다. 항상 무엇인가를 강렬하게 추구해야 직성이 풀리기에 흥분과, 탈진한 상태에서의 초조·불안이라는 이분법으로 세상을 살아간다.

직업적으로는 영업과 판매직이 어울린다. 많은 분야에서 전문가적인 식견을 뽐낼 수 있기에 사람들을 많이 만나 물건을 소개하고 판매하는 일에 있어서는 최고의 효율을 올릴 수 있다. 또한 재물의 흐름을 좇는 금융, 경제, 경영 분야와 어울린다.

돈과 물욕

재성은 돈을 의미한다. 재성이 많다면 돈이 많을 것처럼 보이지만 실제로는 오히려 돈에 허덕이는 경우가 많다. 돈을 벌고 경제력을 유지하려면 강하게 쟁취하고 움켜쥐어야 하는데, 재성이 너무나 많아 손에 쥐고 있는 돈을 놓고, 또 다른 돈을 찾아 떠나는 것이다. 늘 새로운 열망을 좇는 바람에 오히려 안정적으로 돈을 모으지 못한다. 또한 늘 새로운 것을 성취하는 데 관심이 많고, 소유욕이 강렬해 새로운 취미에 도전하고 좋은 물건을 사들이느라 번 돈을 모두 써 버린다. 많이 번 만큼 많이 써 수중에는 늘 돈이 부족한 것이다.

직업적으로는 남의 돈을 만지는 직업과 잘 어울린다. 이를테면 은행, 금융권에 종사하면서 다른 사람의 돈을 만지고, 돈을 유통시키는 과정을 통해 많은 재성의 기운을 풀어낼 수 있다. 명품이나 고가의 전문 장비를 관리하고 판매하는 일에도 어울린다. 좋은 물건을 손으로 만지고 관리하는 과정에서 물욕의 기운을 풀어낼 수 있다.

넓지만 실속 없는 대인 관계

재성은 관계를 의미하기도 한다. 재성의 대인 관계는 익숙한 주변 사람과의 관계가 아니라 취미 활동과 협업의 과정을 통해 맺어진 사회적인 관계이다. 이를테면 동호회 회원과 직장 동료가 재성의 인간관계인 것이다. 재성이 많다면 이런 인간관계가 굉장히 다양하고 광범위하게 퍼져 있다는 의미다. 사회 각계각층과 다양한 인맥을 맺지만, 중요한 것은 이 인맥이 인간적인 애정과 신뢰로 맺어진 것이 아니라는 점이다. 오로지 취미를 공유하려는 목적, 즉 사회적인 맥락으로 맺어진 것이라서 그 맥락을 벗어나면 곧바로 남으로 돌변한다. 따라서 많은 사람을 알고 있지만 내 사람은 하나도 없는 상황이 발생한다. '군중 속의 고독'의 전형이며, 집으로 돌아오는 길에 깊은 외로움과 허탈감을 느낀다.

필요한 기운

재성이 많은 사주는 관심 대상이 다양하고 관심 범위도 넓으며 재물에 지나치게 집착하는 경우가 많다. 또한 대인 관계의 폭이 넓다 보니 돈독한 관계에서 오는 안정감을 향유하지 못하는 경우가 많다. 이는 모두 일간의 기운이 지나치게 소진된 데서 비롯되는데, 이를 해결하려면 일간의 기운을 보완해 줘야 한다.

물통에 비유하면, 식상이 많은 사주가 물통에 뚫린 구멍들을 의미한다면, 재성이 많은 사주는 물통을 기울여서 물을 쏟아붓는 형국이다. 목표를 향해 적극적으로 자신의 힘을 소모한다는 점에 주목한 비유다. 구멍이 뚫린 수준이 아니라 스스로 물통을 기울여서 물을 쏟아붓는 것이 재성이므로, 물통에 물을 채워주는 수도꼭지 정도로는 해결이 안 된다. 도움이 되는 것은 아

재성이 많은 사주

재성은 물통을 기울여 물을 쏟아붓는 형국이며, 물을 많이 소모한다.

필요한 기운

비겁의 도움으로 균형을 유지한다.

주 큰 물통을 쓰거나 물통을 여러 개 준비해 놓는 것이다. 예비용 물통이 많으면, 물을 아무리 쏟아 버려도 새 물통이 있으니 안정적으로 물을 사용할 수 있다. 물의 양 즉 수량이 많은 경우에 물의 소모는 전혀 문제가 되지 않는다. 반대로 생각해 보면, 수량이 많은 상황에서는 오히려 지속적으로 물을 소모해 주는 것이 좋다. 많은 물을 머금은 저수지 입장에서는 그래야 숨통이 트이기 때문이다.

일간을 소모시키는 힘이 재성이라면, 풍부한 수량, 물통을 의미하는 힘은 바로 비겁이다. 비겁이 탄탄하고 강하면, 얼마든지 힘을 쏟아부어도 버틸 수 있다. 반대로 비겁이 탄탄하고 강할 때는 힘을 소모해야 부작용이 덜하다. 재성이 많은 사주에서는 비겁이 중요한 역할을 하며, 일간 주변에 비겁의 기운이 있다면 균형 잡힌 사주가 된다. 일간 주변에 재성만 가득하고 비겁의 기운이 없다면 운으로 흘러들어 오는 비겁의 기운을 기대해 볼 수 있다.

왕상휴수사의 관점으로 보면, 재성은 일간의 기운을 빼 가는 요소이다. 재성이 많은 사주는 일간의 기운을 빼 가는 힘이 강한 상황을 의미하므로, 일간은 힘의 부족에 시달릴 수밖에 없다. 따라서 비겁으로 일간의 힘을 더해 줘야 한다.

오행의 상생상극 표로 살펴보면, 일간이 재성을 극하는 작용으로 인해 재성이 과도하게 일간의 기운을 빼 가고 있을 때, 비겁의 기운으로 일간을 도와줄 수 있다.

또한 극하는 작용으로 살펴보면, 비겁은 재성을 극한다. 과도한 재성을 비겁이 제어해 줌으로써 일간을 도와준다.

재성이 많은 사주에서 비겁이 제 역할을 한다면, 52쪽 표처럼 재성이 많아 생긴 단점이 보완된다.

단순하게 말하면, 재성은 눈앞에 있는 돈을 쥐려는 강한 열망이고, 비겁은 탄탄한 자기 주관의 힘으로 볼 수 있다. 돈을 강렬

생의 관점

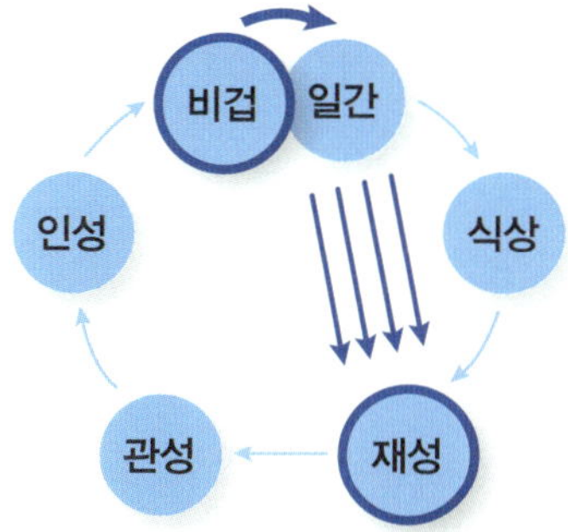

재성으로 빠져나간 기운을 비겁으로 보충할 때 균형을 잡을 수 있다.

극의 관점

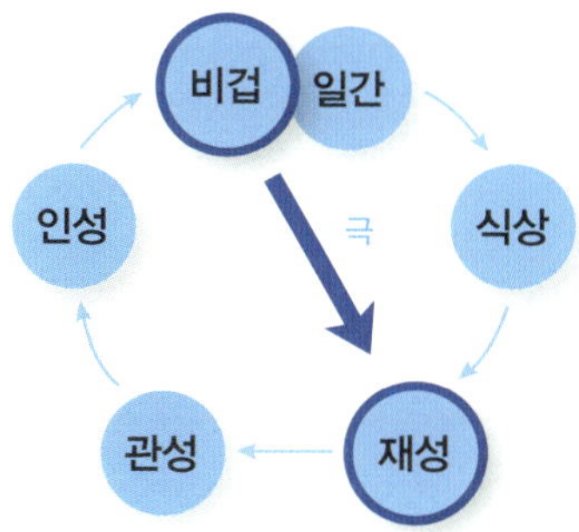

비겁이 과도한 재성을 제어하여 균형을 잡을 수 있다.

히 열망하는 사람에게 자기 주관이 강한 것과 약한 것은 큰 차이가 있다.

재성이 많은 사주에서 비겁이 중요한 역할을 하는 것을 이해한다면, 실제 사주 상담의 현장에서 다양하게 활용할 수 있다.

사주원국에 비겁이 있는 사주라면, 비겁을 아끼고 보호해야

재성이 많을 때의 부정성	재성이 많은 사주가 비겁을 갖추었을 때의 긍정성
다양한 사업에 관심을 가지지만 실제로는 크게 성취하지 못한다.	동료와 친구들과 협력하여 다양한 사업에서 큰돈을 벌어들인다.
주기적으로 건강에 문제가 생겨 진행하던 일에서 하차한다.	몸과 마음을 잘 단련해 여러 가지 취미(재능) 생활에서 큰 성취와 두각을 나타낸다.
단기적인 결과에 집착하여 조급해하고 욕심을 부린다. 그 때문에 성취한 것이 적다.	돈과 결과에 집착하지만 거시적인 안목을 갖추고 일관성을 유지한다.

한다는 조언을 해 줄 수 있고, 비겁이 없는 사주라면, 비겁이 들어오는 운의 흐름을 기대해 보자는 조언을 할 수 있을 것이다.

비겁이 있는데 어떤 조건에 의해 흔들리고 있다면, 그 시기에 유의하라는 조언을 할 수 있다. 비겁에 해당하는 육친(형제자매, 동료)과의 관계를 소중히 여기라는 조언도 가능하다. 더불어 비겁에 해당하는 행동 양식인 운동을 해서 신체와 정신 단련에 관심을 기울이라고 말할 수 있다. 비겁이 수 기운이라면, 수 기운을 끌어당길 수 있는 방책을 통해 비겁의 기운을 보존하라고 조언할 수 있겠다.

	시주	일주	월주	연주
	식상	일간	재성	비겁
천간	乙	壬	丁	癸
	을목	임수	정화	계수
지지	巳	午	巳	未
	사화	오화	사화	미토
	재성	재성	재성	관성

재성이 많은 사주의 예시. 임수 일간의 사주에 화 재성의 기운 4개가 자리 잡고 있다. 재성이 많은 사주이다.

	시주	일주	월주	연주
	재성	일간	비겁	식상
천간	戊	甲	甲	丁
	무토	갑목	갑목	정화
지지	辰	辰	辰	丑
	진토	진토	진토	축토
	재성	재성	재성	재성

재성이 많은 사주에 비겁이 보완되어 균형이 잡힌 사주의 예시. 갑목 일간의 사주에 토 재성의 기운 5개가 자리 잡고 있다. 월간의 갑목이 균형을 잡는 데 큰 도움을 주고 있다.

재성이 부족한
사주의 특징

일간의 기운은 재성을 통해 소모된다. 재성이 부족하면, 일간은 자신의 기운을 소모하고 유통할 방도가 없다. 모든 기운을 추동하는 것은 소모하려는 강렬한 열망인데, 재성이 없다면 일간은 자신의 정체성을 증명할 방도가 없다. 물통 안의 물을 쓰지 않으면 물통이 존재할 필요가 없는 것과 같다.

일간을 주체, 재성을 재물을 향한 열망과 사회적인 활동력으로 보았을 때, 재성이 부족한 사주는 주체의 힘에 비해 재물을 향한 열망과 사회적인 활동력이 크게 떨어지는 상황이다. 재성이 부족한 사주는 다음과 같은 특징들이 나타난다.

욕망의 부재

재성은 욕망하는 기운이다. 재성이 부족하면 사회적인 욕망이 떨어진다. 좋은 차, 좋은 집, 멋진 이성이 눈앞에 지나가도 쟁취해야겠다는 열망이 부족한 경우가 많다. 현대 사회에서 욕망은 돈으로 환산할 수 있기에 재성이 없는 사주는 유독 돈과 인연이 없는 경우가 많다. 스스로 욕망하지 않아 거리가 멀어지는 것이다. 돈을 강하게 열망하지 않기 때문에 돈이 없는 상황에 대해서도 불편함을 느끼지 않는 경우가 많다.

융통성 없음

강렬하게 욕망하는 사람은 수단과 방법을 가리지 않는다. 내 손에 쥐고 말아야겠다는 욕망에 사로잡혀서 과정 따위는 염두에 두지 않는 것이다. 목표가 있다면 수단과 방법을 가리지 않고, 길을 가로질러서라도 쟁취하는 것이 재성이다. 따라서 재성이 없는 사람들은 융통성이 부족한 경우가 많다. 목표에 빨리 닿는 것이 목적이 아니라서 천천히 남들이 하는 대로 하면서 제 갈 길을 간다. 목적지 없이 산책하는 사람처럼 일단 발길 닿는 대로 걷고 보자는 사람이 많다.

부족한 사회성, 수줍음

재성은 사회적인 교섭 능력을 의미한다. 목표 달성을 위해 낯선 사람과도 손을 잡고, 대화하고, 함께 궁리하는 힘이다. 재성이 부족하면, 기본적으로 사회성이 부족하다고 볼 수 있으며, 특히 낯선 관계를 꺼리는 경우가 많다. 따라서 이익을 위해 모인 관계, 재미를 위해 잠깐 하는 모임을 극도로 싫어한다. 내 이익을 위해 남에게 적극적으로 연락하는 것 자체를 수치로 받아들이는 경우가 많으며, 인맥이라는 단어 자체에 근본적인 저항

감을 느낀다.

익숙한 관계 안에 머물려는 사람이 많으며, 과거에 혈연과 학연으로 끈끈하게 맺어진 인간관계만을 중시한다. 또한 대중 앞에 자신을 드러내는 것 자체를 꺼려 낯선 상황에서는 지나치게 수줍어하는 경우가 많다. 이는 낯선 대인 관계를 피하려는 방어기제로 볼 수 있다.

필요한 기운

어떤 기운이 과도하다면, 두 가지 방법으로 해결할 수 있다. 첫 번째 방법은, 그 과도한 기운을 제어하는 것이다. 재성이 과도했을 때 비겁이 도움이 되는 것은 비겁이 재성을 극해서 제어하기 때문이다. 운으로 비겁의 운이 들어오거나, 사주원국에 비겁을 갖추고 있다면 과도한 재성을 제어할 수 있어서 좀 더 균형 잡힌 삶을 살 수 있다. 두 번째, 그 과도한 기운에서 비롯된 일간의 불균형을 보완하는 것이다. 재성이 과도하면 일간은 기운을 많이 빼앗긴다. 일간의 기운이 소모되므로 비겁으로 일간의 기운을 보충해 주면 일간은 균형을 잡을 수 있다. 재성이 많은 사주에서 비겁이 아주 중요한 역할을 하는 이유는, 비겁이 이 두 가지 작용을 동시에 수행해 내기 때문이다.

재성의 기운이 부족한 상황에서 해결책은 무엇일까? 역시 운의 작용을 기대해 볼 수 있다. 그런데 운으로 오는 재성의 운을 잘 쓰려면 반드시 식상이 잘 갖추어져 있어야 한다. 식상이 일간과 재성의 징검다리, 즉 연결고리가 되기 때문이다. 일간은 식상을 생하고, 식상이 재성을 생하니, 식상이 제 역할을 했을 때 재성이 들어와야 큰 발복이 가능해진다. 축구 경기에 투입되는 교체 선수를 예로 들어 보자. 언제 경기에 투입될지 모르는 상황에서 경기장 주변을 돌며 몸을 풀고 있는 선수가 있고, 가만히 벤치에 앉아 있는 선수가 있다. 둘 다 경기에 투입된다는 것(재성 운이 온다는 것)은 똑같지만 어떤 선수가 좋은 결과를 낼 수 있을까? 몸을 풀었던 선수는 기회가 오면 큰 활약을 할 수 있지만, 가만히 앉아 있었던 선수는 오히려 부상을 당할 수 있다. 이처럼 식상으로 몸을 풀었을 때, 재성 운이 와야 큰 발복을 할 수 있다. 반면 식상의 기운이 없이 덩그러니 재성 운이 오면 오히려 탈이 나는 경우도 많다.

	시주	일주	월주	연주
	인성	일간	관성	식상
천간	丙	戊	甲	辛
	병화	무토	갑목	신금
지지	辰	午	午	酉
	진토	오화	오화	유금
	비겁	인성	인성	식상

재성이 부족한 사주의 예시. 무토 일간의 사주이다. 수 재성의 기운을 찾아볼 수 없다.

관성이 많은 사주의 특징

관성은 일간의 기운을 극한다. 극한다는 것은 완전히 제압한다는 의미다. 일간을 제어와 규제의 틀 안으로 가두는 것이 관성의 핵심이다. 일간과 재성의 관계가 일간이 재성을 극해서 취하는 격렬한 관계라면, 일간과 관성의 관계는 관성이 일간을 극하는 격렬하고 낯선 관계이다. 재성을 앞에 둔 일간이 사나운 맹수였다면, 관성 앞에 선 일간은 연약한 사냥감일 뿐이다.

식상이 많은 상황에서 일간은 기운을 흘려보내 소모하고, 재성이 많은 상황에서는 격렬하게 소진한다면, 관성이 많은 상황에서는 억압당해 힘을 빼앗긴다. 일간은 제대로 힘을 펼 수 없고, 기본적으로 억압과 스트레스에 노출되어 있다. 매의 눈으로 노려보는 무서운 선생님과 부모님 앞에 서 있는 아이의 처지로 비유할 수 있다.

일간을 주체, 관성을 해결해야 할 과제의 힘으로 보았을 때, 관성이 많은 사주는 주체의 힘에 비해 감당해야 할 과제가 지나치게 많은 것이 본질이다. 이에 근거해 다음과 같은 특징들이 나타난다.

지나치게 남을 의식

관성은 억압의 힘이지만, 관복을 입는 힘, 즉 명예와도 관련이 깊다. 일간을 나라고 보았을 때, 식상은 가족들과의 관계이고, 재성은 친구들과의 관계를 의미한다. 관성은 바로 사회적인 관계, 공식적인 관계의 힘이다. 관성이 적절하다면 사회적으로 인정받으려는 욕망에 의해 집단에서 유능한 인재로 인정받을 수 있다. 하지만 관성이 지나치게 많으면, 인정받으려는 욕망이 지나치게 강해서 자신에게 부여된 모든 과제를 스스로 끌어안게 된다. 주변 사람들의 기대에 부응하고 싶은 욕망, 남들로부터 인정받고 싶은 욕망으로 인해 늘 남의 시선과 목소리에 귀를 기울인다. 자신에게 주어진 과제를 꼭 해내야 하고, 다른 사람들의 요구에 헌신해야 하기 때문에 일간은 늘 스스로를 지키지 못할 정도로 힘을 빼앗긴다. 집단과 직장 상사, 남을 위해 사느라 늘 피곤하고 헛헛한 일상이 반복된다. 항상 지시와 명령의 목소리에 따라 움직여야 직성이 풀리기에 명령의 수행과 탈진의 이분법으로 세상을 살아간다.

직업적으로는 엄격한 명령을 수행하는 군경, 소방관, 법무관, 교사가 어울린다. 명령을 받고, 그 명령을 수행하면서 성취하고 명예를 높일 수 있기에 국민을 상대로 헌신하는 직업군에서 최고의 효율을 올릴 수 있다.

규칙의 준수, 직장이 곧 나

관성은 시스템과 규칙을 의미한다. 관성은 시스템 자체이고, 관성이 적절하다면 시스템을 누구보다 잘 이해하고 그 안에서 최고의 효율을 낼 수 있다. 하지만 관성이 지나치게 많으면, 시스템과 규칙에 함몰되는 부작용이 드러난다. 직장과 조직의 체계와 시스템을 내면화하고, 그 틀만으로 세상을 바라보므로 식견이 좁고, 융통성 없는 삶을 살게 된다. 규칙을 지키느라 정작 중요한 내실을 챙기지 못하는 경우가 많고, 인사치레에 집착해 실속을 못 차리는 경우가 많다. 조직과 자신을 과도하게 동일시하기 때문에 다른 환경에 처한 사람을 이해하지 못하며, 특히 조직을 벗어났을 때는 단박에 무너지는 경우가 많다. 평생 공직에 있다가 퇴직 후에 급작스럽게 방향성을 잃는 경우는 과도한 관성의 대표적인 부작용이다.

직업적으로는 체계와 시스템이 잘 갖추어진 직업과 잘 어울린다. 매뉴얼과 규칙대로 움직이고, 규율과 체계가 명확한 대기업이나 국가직 공무원을 통해 자신의 기운을 잘 풀어낼 수 있다. 체계를 스스로 설계하고 적용하는 행정과 통계 관련 분야에서도 능력을 한껏 발휘할 수 있다.

폭력성

관성은 폭력을 의미하기도 한다. 관성은 일간을 극하는 힘이다. 일간은 관성으로부터 극을 당하기에 억압과 복종의 질서에 익숙하다. 시키는 대로 따라야 하는 것이 관성의 질서인 것이다. 관성이 많다면 이 억압과 복종의 힘이 지나치게 일간을 압박하는 상황이다. 따라서 어려서부터 정신, 신체적으로 폭력적인 환경에 노출되는 경우가 많다. 어려서는 주로 부모나 교사에게서 폭력을 경험하는 경우가 많고, 성년 이후에는 직장 상사에게서 억압을 경험하는 경우가 많다. 중요한 것은 여성의 경우 남성이 폭력의 주체가 된다는 점이다. 따라서 사주에 관성이 많은 여성은 관성의 힘을 면밀히 살펴야 한다.

모든 기운은 항상 그 반대 면을 품고 있으므로, 일간에게 가해지는 억압과 복종의 힘은 일간의 안에 내면화되어 도사리고 있다가 결국 밖으로 드러난다. 관성이 강한 사람은 많은 폭력성을 경험하고, 또 경험한 폭력성을 남에게 돌려준다. 누적된 스트레스가 결국 폭력의 형태로 표출되는 것인데, 이 폭력성이 일차적으로는 자신에게 향하고 결국 사회적 약자를 향해 드러난다. 관성이 강하면 늘 투덜대는 습관을 가진 경우가 많은데, 이 경우 내면의 불만을 잘 다스려야 한다.

필요한 기운

관성이 많은 사주는 인정받으려는 욕망이 강해 다른 사람의 시선을 지나치게 의식한다. 집단의 가치를 지나치게 내면화해 이를 수행하느라 삶을 소모한다. 또한 관성이라는 억압의 힘은 항상 폭력성을 내포하고 있기 때문에 관성이 많은 사주는 늘 불안에 시달리는 경우가 많다. 이는 모두 일간의 기운이 관성이라는 강한 극의 힘을 견디지 못해 생기는 현상이다. 이를 해결하려면 일간의 기운을 보완해 줘야 한다.

물통에 비유하면, 식상이 많은 사주는 물통에 뚫린 구멍이 많음을 의미하고, 재성이 많은 사주는 스스로 물통을 기울여서 물을 쏟아붓는 상황을 의미한다. 반면 관성이 많은 사주는 누군가 나타나 쉴 새 없이 물을 퍼 가는 상황을 의미한다. 물이 찰 새 없이 계속 물을 퍼 가면 물통은 항상 비어 있을 수밖에 없다. 이런 상황에서는 물통에 물을 채워 주는 수도꼭지도 도움이 되지만, 더 절실히 필요한 것은 아주 큰 물통이나 여러 개의 물통이다. 재성과 마찬가지로 예비용 물통이 많은 경우, 계속 물을 퍼 가도 새 물통이 있으니 안정적으로 물을 사용할 수 있다. 즉 물이 많은 경우에는 물을 퍼 가는 것이 전혀 문제가 되지 않는다. 반대로 생각해 보면, 물이 많은 상황에서는 오히려 남들이 꾸준히 물을 퍼 가는 것이 좋다.

일간을 극하는 힘이 관성이라면, 풍부한 수량, 물통을 의미하는 힘은 바로 비겁이다. 비겁이 탄탄하고 강하면, 얼마든지 극을 당하더라도 버틸 수 있다. 오히려 비겁이 탄탄하고 강할 때는 극을 당해야 비겁이 강한 데서 오는 부작용이 덜하다. 관성이 많은 사주에서는 비겁이 중요한 역할을 하며, 일간 주변에 비겁의 기운이 있다면 균형 잡힌 사주가 된다. 일간 주변에 관성만 가득하고 비겁의 기운이 없다면 운으로 흘러들어 오는 비겁의 기운을 기대해 볼 수 있다.

오행의 상생상극 표로 살펴보면, 관성이 일간을 극하는 작용으로 인해 일간이 과도하게 힘을 빼앗기고 있을 때, 강한 비겁

관성이 많은 사주

물이 남아 있지 않다.

필요한 기운

비겁의 도움으로 균형을 잡을 수 있다.

의 기운으로 일간을 도와줄 수 있다.

관성이 많은 사주에서 비겁이 제 역할을 한다면, 다음 쪽 표처럼 관성이 많아 생긴 단점이 보완된다.

단순하게 말하면, 관성은 남들에게 잘 보이려는 욕망이고, 강한 비겁은 자기 주관이 탄탄한 상황으로 볼 수 있다. 남들의 시선에 부응하려는 사람에게 자기 주관이 강한 것과 약한 것은 큰 차이가 있다.

생의 관점

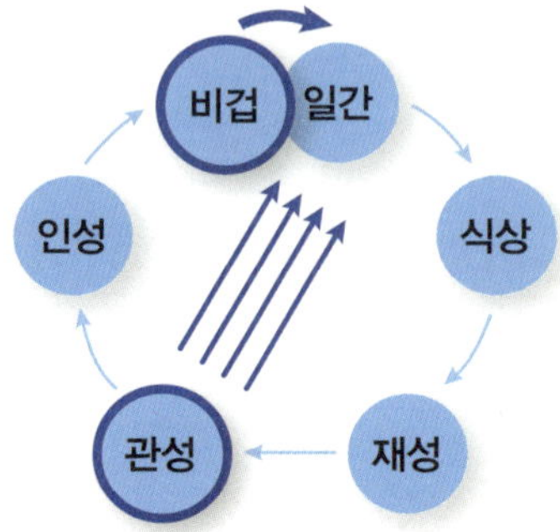

관성에 의해 빼앗긴 기운을 비겁으로 보충할 때 균형을 잡을 수 있다.

관성이 많을 때의 부정성	관성이 많은 사주가 비겁을 갖추었을 때의 긍정성
사회적인 요구와 사람들의 기대에 부응하고 싶으나 결과를 내지 못한다.	끈기와 자신감, 동료와 친구들의 도움으로 사회적으로 크게 성취한다.
규칙을 준수하고, 인사치레에 집착하다가 실속을 차리지 못하고 소중한 것을 잃는다.	직장에서는 규칙을 잘 지켜 인정을 받고, 집에서는 가족들과 원만한 관계를 유지한다.
일상적으로 억압과 폭력에 노출되어 있어서 심리적으로 불안하다.	억압의 힘을 잘 견뎌 내고, 목표 의식을 고수해 크게 성취한다.

관성이 많은 사주에서 비겁이 중요한 역할을 하는 것을 이해한다면, 실제 사주 상담의 현장에서 다양하게 활용할 수 있다.

사주원국에 비겁이 있는 사주라면, 비겁을 아끼고 보호해야 한다는 조언을 해 줄 수 있고, 비겁이 없는 사주라면, 비겁이 들

	시주	일주	월주	연주
천간	관성	일간	식상	인성
	己	癸	乙	辛
	기토	계수	을목	신금
지지	未	未	未	未
	미토	미토	미토	미토
	관성	관성	관성	관성

관성이 많은 사주의 예시. 계수 일간의 사주에 토 관성의 기운 5개가 자리 잡고 있다. 관성이 많은 사주이다.

	시주	일주	월주	연주
천간	비겁	일간	관성	관성
	丙	丙	壬	壬
	병화	병화	임수	임수
지지	申	子	子	子
	신금	자수	자수	자수
	재성	관성	관성	관성

관성이 많은 사주에 비겁이 보완되어 균형 잡힌 사주의 예시. 병화 일간의 사주에 수 관성의 기운 5개가 자리 잡고 있다. 시간의 병화가 균형을 잡는 데 큰 도움을 주고 있다.

어오는 운의 흐름을 기대해 보자는 조언을 할 수 있을 것이다.

비겁이 있는데 어떤 운의 조건에 의해 흔들리고 있다면, 그 시기에 유의하라는 조언을 할 수 있을 것이다. 비겁에 해당하는 육친(형제자매, 동료)과의 관계를 소중히 여기라는 조언도 가능하다. 더불어 비겁에 해당하는 행동 양식인 운동을 해서 신체와 정신 단련에 관심을 기울이라고 말할 수 있다. 비겁이 수 기운이라면, 수 기운을 끌어당길 수 있는 방책을 통해 비겁의 기운을 보존하라고 조언할 수 있겠다.

관성이 부족한 사주의 특징

관성은 일간을 극한다. 관성이 부족하면, 일간은 자신의 기운을 제어하고 조절할 방도가 없다. 제어를 통해 일간은 균형과 안정을 찾을 수 있는데, 관성이 없다면 일간은 자신의 힘을 조절할 방법이 없다. 물통 안의 물을 남들에게 나눠 주지 않으면 물통의 품격과 의미는 퇴색된다.

일간을 주체, 관성을 명예를 향한 열망, 시스템 안에서 명령을 수행하는 힘으로 보았을 때, 관성이 부족한 사주는 주체의 힘에 비해 명예를 향한 열망과 시스템 안에서 명령을 수행하는 힘이 지나치게 떨어지는 상황이다. 관성이 부족한 사주는 다음과 같은 특징들이 나타난다.

남의 말을 듣지 않음

관성은 외부에서 가해지는 힘이자 외부의 명령을 따르는 힘, 즉 외부 명령을 기꺼이 따르는 힘이다. 따라서 관성이 부족하면 자신이 제어받고 통제받는 상황을 견디지 못한다. 사회 관습이나 시간 약속, 제도나 규칙을 따라야 할 필요성을 느끼지 않는 경우가 많다. 관성은 사회적인 시선에 해당하기에 관성이 없는 사주를 가진 사람은 사회성도 많이 떨어진다. 사회적인 시선 자체를 느끼지 않기 때문에 스스럼없이 본인의 욕망에 따라 행동하는 것이다. 관성이 없는 사람에게는 마땅히 그래야 하는 법이 없다. 스스로 납득할 수 있을 때에만 사회적인 질서를 받아들인다.

학교와 직장 운 없음

관성은 관료제도를 의미한다. 관성이 없는 사람은 관료제로 짜인 조직인 학교와 직장 운이 없는 경우가 많다. 공식적인 기관의 시험과 면접에 불리하다고 볼 수 있는데, 막상 조직에 들어가더라도 적응하는 데 애를 먹는다. 특히 자유로운 대화와 토론의 여건이 확보되지 않은 보수적이고, 위계질서가 뚜렷한 조직에서는 적응하기 어렵다. 강압적인 직장 상사, 엄격한 교사의 행동 방식을 도저히 이해할 수가 없다. 사주에 극을 당하는 힘이 없기에 강제적으로 따라야 하는 상황을 견딜 수 없는 것이다. 따라서 개인의 개성과 창의성을 보장할 수 있는 환경, 자유로운 대화와 토론의 장이 충분히 확보된 조직을 찾는 것이 필요하다. 이런 유연하고 포용적인 조직에서는 능력을 충분히 발휘할 수 있다. 관성이 없다면 직장이나 조직에 기대지 않고 자기 힘으로 무언가를 성취하는 삶이 어울린다.

예측하기 어려움, 건강의 문제

관성은 예측 가능하고 규칙적인 질서를 의미한다. 의전, 예절, 법률, 규칙에 의해 보장된 일관되고 변하지 않는 안정성이 관성의 특징이다. 관성이 부족하면, 이러한 일관된 규칙성에 적응하는 힘이 부족하다고 볼 수 있는데, 특히 시간 관리에서 약점을 드러낸다. 정해진 시간을 따라야 하고, 규칙적으로 움직여야 하는 상황에서 답답해한다. 내키는 대로 일하고 내키는 대로 쉬는 것이 관성이 부족한 사람들의 특징인 것이다.

관성이라는 규칙성은 건강과도 직결된다. 정해진 패턴대로 살아가는 사람들은 비교적 건강을 잘 유지할 수 있는데, 관성이 부족한 사람들은 정해진 패턴이 없기에 건강 관리에 어려움을 겪는다. 일을 할 때는 몰아서 하고, 쉴 때는 한정 없이 쉬는 불규칙한 패턴이 건강에는 좋지 않게 작용하는 것이다.

필요한 기운

관성이 많다면 두 가지 방법으로 해결할 수 있다. 첫 번째 방법은, 비겁으로 과도한 관성을 이겨 내는 것이다. 운으로 비겁의 운이 들어오거나, 사주원국에 비겁을 갖추고 있다면 과도한 관성을 제어할 수 있어서 좀 더 균형 잡힌 삶을 살 수 있다. 두 번째는, 과도한 관성의 기운을 인성으로 유통시키는 것이다. 관성이 과도할 때 인성은 관성의 기운을 덜어 내 주고, 일간의 기운을 보충해 준다. 인성이 관성과 일간의 사이에 끼여 중재자 역할을 해 주는 것이다. 관성이 인성을 생하고, 인성이 일간을 생하면서 관성의 부작용이 승화된다. 하지만 인성으로 인한 승화의 작용은 선명하게 드러나지 않는 경우가 많다. 기운의 유통은 쉽사리 이루어지지 않는다. 관성이 과도한 경우 인성보다 비겁이 더 직접적으로 좋은 결과를 가져온다.

그렇다면 관성의 기운이 부족한 상황에서 해결책은 무엇일까? 식상의 경우와 마찬가지로 부족한 관성의 기운을 채워 주는 것밖에는 방법이 없다. 따라서 흘러들어 오는 관성 운의 작용을 기대해 볼 수 있다. 대운으로 관성 운이 들어올 때, 세운으로 관성 운이 들어올 때 관성이 부족해서 생기는 단점이 보완되어 균형 잡힌 삶을 살아갈 수 있는 것이다.

단순하게 말하면, 관성이 부족할 때 필요한 기운은 관성이고, 운으로 관성의 기운이 들어왔을 때 관성이 부족해서 생기는 단점이 보완된다. 다만 사주원국에 식상의 기운이 너무 강하면

	시주	일주	월주	연주
	식상	일간	식상	재성
천간	辛	己	庚	壬
	신금	기토	경금	임수
지지	未	巳	戌	申
	미토	사화	술토	신금
	비겁	인성	비겁	식상

관성이 부족한 사주의 예시. 기토 일간의 사주이다. 목 관성의 기운을 찾아볼 수 없다.

관성의 운이 들어오더라도 제대로 그 효과를 보기는 어렵다. 식상이 운으로 들어오는 관성을 튕겨 내기 때문이다.

인성이 많은 사주의 특징

인성은 일간의 기운을 생한다. 생한다는 것은 일간 쪽으로 기운을 흘려보낸다는 뜻이다. 지속적으로 일간을 부추기고 조력하는 것이 인성의 핵심이다. 일간과 관성의 관계가 관성이 일간을 극해서 제어하는 격렬한 관계라면, 일간과 인성의 관계는 생으로 이루어진 익숙하고 부드러운 관계이다. 관성 앞에 선 일간이 스스로를 반성하고 점검해야 하는 위축된 인간형이었다면, 인성 앞에 선 일간은 사랑받고 보호받아 마땅한 연약한 존재이다.

일간은 재성이 많은 상황에서는 힘을 격렬하게 소진하고, 관성이 많은 상황에서는 억압당해 힘을 빼앗긴다. 반면 인성이 많은 상황에서는 감당하기 어려울 만큼 많은 힘을 받는다. 일간은 너무 많은 조력 탓에 주체 못할 만큼 힘이 넘쳐 나고, 받는 것에 익숙해서 주체성을 상실한 상태다. 온실 속의 화초, 부모님의 손길만 기다리는 마마보이 / 걸의 모습으로도 비유할 수 있다.

일간을 주체, 인성을 일간을 조력해 주는 따스한 힘으로 보았을 때, 인성이 많은 사주는 주체의 힘에 비해 조력해 주는 힘이 과도한 것이 본질이다. 이에 근거해 다음과 같은 특징들이 나타난다.

나의 숙제는 어머니

인성은 조력을 받는 힘이다. 특히 윗사람, 아버지나 어머니로부터 사랑과 보호를 받는 힘을 의미한다. 특히 양육의 주체가 어머니가 되는 경우가 많기에 인성은 어머니와 직접적인 관련이 있는 기운이다. 인성이 적절하다면 어머니와의 관계가 원만하고 어머니로부터 적절한 조력을 받아 세상을 안정적으로 살아갈 수 있다. 하지만 인성이 과도하면, 어머니로부터의 조력이 너무 강해서 도리어 문제가 된다. 과유불급이라는 말이 있듯이 너무 많은 것은 차라리 없는 것만 못하다. 너무 강한 인성은 어머니와의 관계에서 심각한 부작용을 드러내는 경우가 많다. 어머니의 과도한 사랑과 관심으로 인해 자립의 기회를 잃어버리는 경우가 많기 때문이다. 나이를 먹어서도 어머니의 간섭 탓에 기를 펴지 못하는 경우가 많다.

그런데 중요한 것은 인성이 많은 사주를 가진 사람들은 어머니가 본인의 삶에 미치는 부정성을 알면서도 어머니 품에서 벗어나지 못한다는 것이다. 어머니 품에 안겨서 어머니를 증오하는 아이러니 속에서 살아가는 경우가 많다. 어머니를 거스르면 안 된다는 도덕관념과 자립 의지의 상실 때문이다. 어려서부터 너무 많은 조력에 길들여져 그 현실에서 벗어나기 어려운 것이다.

직업적으로는 돌봄과 관련 있는 직업군과 잘 어울린다. 냉혹한 현실의 질서에 좌우되지 않는 복지, 양육, 종교, 교육기관에 잘 어울린다. 사회복지사, 보육교사, 교사, 간호사, 종교인, 상담사, 요양 시설 종사자 등이다.

많은 생각, 우유부단

인성은 통찰의 힘이자 생각의 힘이다. 인성이 잘 발달되어 있다면, 통찰력이 있어 예리하게 사물을 꿰뚫어 볼 수 있고, 생각의 힘으로 지혜를 쌓아 갈 수 있다. 하지만 인성이 과도하면, 생각이 너무 많은 탓에 길을 잃게 되는 부작용이 드러난다. 생각의 힘이 지나친 상황이므로 결정을 내리기 전에 너무나 많은 고민이 뒤따른다. 중요하지 않은 결정을 하는데도 늘 우유부단한 태도를 보여 주변 사람을 답답하게 만드는 경우가 많다. 또한 지나치게 사려 깊은 태도는 많은 사람의 마음을 헤아리는 장점으로 발현되지만, 한 사람의 마음도 사로잡지 못하는 단점으로도 작용한다. 사물의 근원을 포착하는 통찰의 힘은 강하지만, 오히려 가까운 사람의 외로움은 달래지 못하는 것이다.

직업적으로는 철학적 사유, 진리 탐구와 관련된 직업과 잘 어울린다. 최적의 직업으로는 학자를 들 수 있으며, 구체적으로는 철학자·인문학자·연구원·대학 교수 등이 있다.

표현력과 활동성 저하, 실속 없음

인성은 집 안에 머무르는 기운이며, 생각하는 힘이다. 즉 안으로 수렴하는 내향적인 기운이 인성의 본질이다. 따라서 인성은 활동력, 표현력과는 거리가 멀다. 인성이 과도한 경우 자기 감정을 적극적으로 표현하지 못해 주변 사람을 답답하게 하는 경우가 많다. 극도의 게으른 성향으로 드러나기도 한다. 표현력과 활동력이 부족하고 생각을 실천으로 옮기지 못하니, 현실감각도 떨어진다. 본인은 세상을 다 아는 것처럼 여유를 부리지만 막상 집 앞에 나가서 냉혹한 현실을 접하면 늑대들의 사냥감이 되기 일쑤다.

인성은 부드럽고 사랑스러운 힘이며, 남에게 인정을 받는 힘이자 사랑을 받고 베푸는 힘이다. 하지만 인성이 과도하면 사랑과 낭만에 취해 세상살이의 기본 원칙을 배울 기회를 놓친다. 경제적 이익 앞에서는 친구와 가족도 가볍게 배반하는 냉혹한 현실에서 인성이 과도한 사람은 늘 피해자가 되고, 마음에 상처를 입는다. 인성이 과도한 사람에게 이불 밖은 정말 위험한 것이다.

필요한 기운

인성이 많은 사주는 사랑받으려는 욕망, 인정받으려는 욕망이 강해 다른 사람의 애정을 당연시한다. 늘 착한 아이라는 말을 들어야 하고, 누군가 자신을 미워할까 봐 전전긍긍한다. 어머니의 간섭이 싫으면서도 어머니에게 지나치게 집착하여 고통의 근원을 끊어 내지 못한다. 고민과 생각이 많고 우유부단하여 주변 사람을 답답하게 하며, 표현력과 활동력이 떨어져 집 밖으로 나가지 않는다. 현실에 적응하지 못해 경제적인 자립이 늦는 경우도 많다. 이는 모두 인성의 기운이 너무 많아 일간의 힘이 넘쳐 나서 생기는 현상이다. 자립의 힘에 비해 원조의 힘이 너무 강하기 때문이다. 이를 해결하려면 반드시 인성의 기운을 극해서 제어해야 한다.

물통에 비유하면, 식상이 많은 사주는 물통에 뚫린 구멍들을 의미하고, 재성이 많은 사주는 스스로 물통을 기울여서 물을 쏟아붓는 것을 의미한다. 관성이 많은 사주는 누군가 나타나 쉴 새 없이 물을 퍼 가는 상황이다. 인성이 많은 사주는 수도꼭지를 통해 계속 물이 채워지는 상황을 의미한다. 물을 마실 사람이 없는데 계속 물이 채워지므로 물통 밖으로 물이 넘친다. 이런 상황에서 가장 필요한 것은 바로 물을 소모하는 일이다. 물을 과감하게 덜어 내고 써야 균형이 잡힌다.

물을 과감하게 덜어 내려면 재성의 기운이 꼭 필요하다. 인성은 무슨 수를 써서라도 채우려는 기운이라면, 재성은 어떻게든 덜어 내고 소모하는 기운이다. 인성이 많은 사주에서는 재성이 중요한 역할을 하며, 일간 주변에 재성의 기운이 있다면 균형 잡힌 사주가 된다. 일간 주변에 인성만 가득하고 재성의 기운이 없다면 운으로 흘러들어 오는 재성의 기운을 기대해 볼 수 있다.

왕상휴수사의 관점으로 보면, 인성은 일간의 기운을 더해 주

물이 너무 많아서 넘친다.

재성의 도움으로 균형을 잡을 수 있다.

는 요소이다. 인성이 많은 사주는 일간의 기운을 더해 주는 힘이 강한 상황을 의미하므로, 일간은 과도한 힘을 감당하지 못해 불편함을 겪을 수밖에 없다. 따라서 재성으로 일간의 힘을 덜어내 줘야 하는 것이다.

오행의 상생상극 표로 살펴보면, 인성이 일간을 생하는 작용으로 인해 일간이 과도하게 힘을 받고 있을 때, 강한 재성의 기운으로 일간을 도와줄 수 있다.

극의 관점(1)

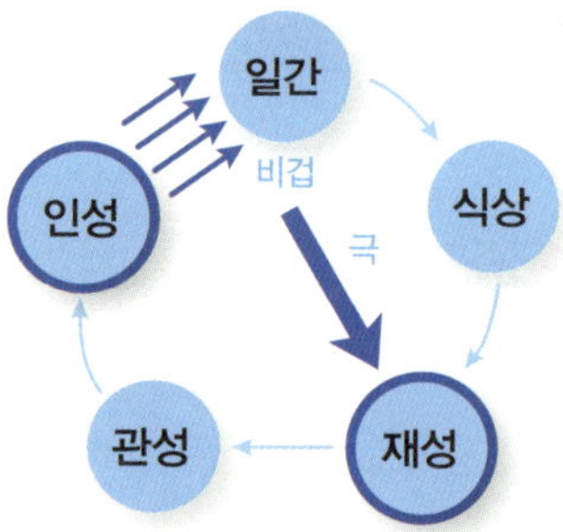

인성으로 채워진 기운을 재성을 통해 소모할 때 균형을 잡을 수 있다.

또한 극하는 작용으로 살펴보면, 재성은 인성을 극한다. 과도한 인성을 재성이 제어해 줌으로써 일간을 도와준다.

극의 관점(2)

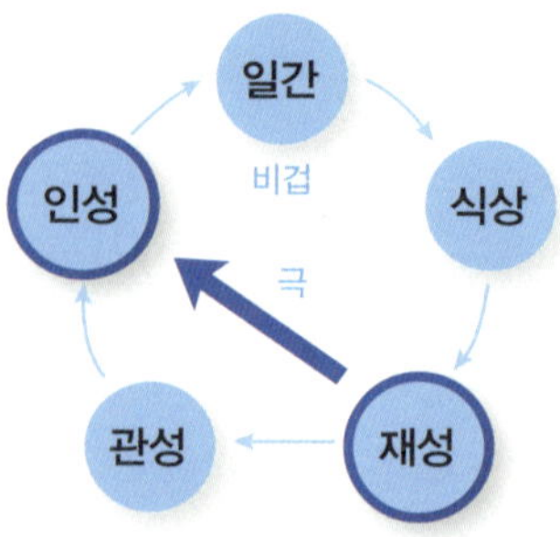

재성이 과도한 인성을 제어하여 균형을 잡을 수 있다.

인성이 많을 때의 부정성		인성이 많은 사주가 재성을 갖추었을 때의 긍정성
부모에게 지나치게 의존해 자립이 늦어진다.	→	부모에게 원조를 많이 받고 의지하지만, 본인이 원하는 순간에는 부모의 기대를 밀쳐 내고 자립한다.
생각이 너무 많아서 항상 어중간한 태도를 보이고, 작은 일에도 고민을 하느라 인생을 허비한다.	→	생각이 많지만, 그 생각을 실용적인 방식으로 풀어낼 수 있다.
남이 나를 싫어할까 봐 염려해 제대로 표현을 하지 못한다.	→	남이 나를 싫어할까 봐 염려하지만, 중요한 순간에는 자신의 의사를 단호하게 표현한다.

인성이 많은 사주에서 재성이 제 역할을 한다면, 위 표처럼 인성이 많아 생긴 단점이 보완된다.

단순하게 말하면, 인성은 받으려는 욕망, 집 안에 가만히 머무르려는 욕망으로 볼 수 있고, 재성은 사회적인 활동력과 재물을 취하려는 강한 욕망이다. 집 안에 가만히 앉아서 도움을 받으려는 사람에게 사회적인 욕망이 있는 것과 없는 것은 큰 차이가 있다.

인성이 많은 사주에서 재성이 중요한 역할을 하는 것을 이해한다면, 실제 사주 상담의 현장에서 다양하게 활용할 수 있다.

사주원국에 재성이 있는 사주라면, 재성을 아끼고 보호해야 한다는 조언을 해 줄 수 있고, 재성이 없는 사주라면, 재성이 들어오는 운의 흐름을 기대해 보자는 조언을 할 수 있을 것이다.

재성이 있는데 어떤 운의 조건에 의해 흔들리고 있다면, 그 시기에 유의하라는 조언을 할 수 있을 것이다. 재성에 해당하는 육친(아버지, 아내)과의 관계를 소중히 여기라는 조언도 가능하다. 더불어 재성에 해당하는 행동 양식인 사회적인 활동, 경제

	시주	일주	월주	연주
	비겁	일간	인성	비겁
천간	己	己	丁	戊
	기토	기토	정화	무토
지지	巳	巳	巳	寅
	사화	사화	사화	인목
	인성	인성	인성	관성

인성이 많은 사주의 예시. 기토 일간의 사주에 화 인성의 기운 4개가 자리 잡고 있다. 인성이 많은 사주이다.

	시주	일주	월주	연주
	재성	일간	인성	관성
천간	乙	辛	戊	丙
	을목	신금	무토	병화
지지	未	未	戌	戌
	미토	미토	술토	술토
	인성	인성	인성	인성

인성이 많은 사주에 재성이 보완되어 균형 잡힌 사주의 예시. 신금 일간의 사주에 토 인성의 기운 5개가 자리 잡고 있다. 시간의 을목이 균형을 잡는 데 큰 도움을 주고 있다.

적인 활동에 관심을 기울이라고 말할 수 있다. 재성이 목 기운이라면, 목 기운을 끌어당길 수 있는 방책을 통해 재성의 기운을 보존하라고 조언할 수 있겠다.

인성이 부족한 사주의 특징

인성은 일간을 생한다. 사람은 혼자서는 살 수 없고, 기운도 마찬가지이다. 든든한 조력자가 있어야 제대로 기를 펼 수 있다. 인성이 부족하면 일간은 조력받을 길을 잃고 만다. 물통 안에 물이 공급되지 않으면, 정해진 물 가지고 평생을 살아야 하니 그만큼 불리한 조건에 처하는 셈이다.

일간을 주체, 인성을 부모의 보호와 사랑, 생각의 힘으로 보았을 때, 인성이 부족한 사주는 주체의 열망에 비해 부모에게서 보호와 사랑을 받을 수 있는 힘, 생각의 힘이 크게 떨어지는 상황이다. 인성이 부족한 사주는 다음과 같은 특징들이 나타난다.

부모와의 인연이 짧음

보통 재성은 아버지와 아내, 관성은 남편이라는 공식으로 십신과 육친 관계를 연결한다. 모든 사주에서 이런 공식이 딱 들어맞는 것은 아니다. 재성이 없어도 아버지의 은덕을 많이 입는 경우가 많으며, 재성과 관성이 없어도 결혼 생활에 큰 문제가 없는 경우가 많다. 아울러 재성과 관성이 없으면 결혼과는 인연이 없다는 것도 경직된 해석이다.

하지만 인성 = 어머니라는 육친의 연결 관계는 확실하게 삶에 드러난다. 인성의 작용이 그대로 어머니와의 관계로 연결되는 경우가 아주 많다. 인성이 부족한 경우 부모, 특히 어머니와의 인연이 짧은 경우가 많다. 어머니가 자식을 밀어내는 경우도 있고, 자식이 스스로 어머니와의 관계를 피하는 경우도 있다.

인성의 부족을 무조건 부정적으로 볼 것만은 아니다. 물통에 비유하면, 굳이 물을 채울 필요가 없는 사람, 다시 말해 물을 평생 쓰고도 남는 사람은 오히려 어머니의 조력이 독이 될 수 있다. 이런 경우, 어려서부터 독립적인 환경과 태도를 유지하는 것이 큰 도움이 된다.

인성은 부모의 관심과 사랑을 의미하지만 더불어 남에게 인정받는 힘도 의미한다. 따라서 인성이 없는 사주는 남에게 인정받을 것을 기대하지 않고, 자기 힘으로 자립하고 성취하는 것이 어울린다.

자녀의 출산, 모성애 없음

인성은 부모의 조건 없는 사랑에 해당한다. 인성은 받는 기운인데, 사주의 모든 기운은 들고 나감의 양면을 가지고 있다. 주는 것이 받는 것이고, 받는 것이 주는 것이다. 인성은 조건 없이 받는 힘이자, 곧 조건 없이 주는 힘이다. 따라서 인성이 부족하다는 것은 부모로부터 받는 힘이 부족함을 암시하는 동시에 부모가 되어 베풀려는 힘도 부족하다는 의미다. 인성이 부족한 경우 남녀 모두 출산에 관심이 없는 경우가 많고, 출산을 해도 아이를 돌보는 일에 냉담할 수 있다. 많은 사람이 여성의 사주에서 식상이 자녀에 해당한다고 보지만, 구체적으로 살펴보면 식상은 여성의 활동력, 성적인 의욕, 아이를 잘 키우려는 욕망이다. 이에 비해 인성은 아이를 낳으려는 마음, 나를 희생해서 생명을 돌보려는 마음으로 볼 수 있다. 즉 아이에게 마음을 주는 것은 인성과 관련이 깊다. 인성이 부족하면 누군가에게 마음을 줄 여유가 없으니 출산, 육아에 불리한 것이다.

여유와 성찰의 부족

비겁은 몸의 힘, 식상은 손발의 힘이다. 반면 인성은 정신의 힘, 생각의 힘이다. 사물을 깊이 꿰뚫어 보는 통찰력이며, 정신적인 일관성과 안정을 유지할 수 있는 힘이다. 깊이 멀리 볼 수 있는 인생의 표지판 역할을 하는 것인데, 인성이 부족한 경우 삶의 안정성과 여유가 떨어진다. 정신적인 일관성과 안정성이 떨어지므로 삶의 방향 전환과 조급함이 잦다. 정답을 알고 있는 사람은 서두르지 않고 평온하게 자기 할 일을 하지만 정답을 알지 못하는 사람, 즉 인성이 부족한 사람은 늘 불안감과 그에 따른 들뜬 흥분 상태로 세상을 살아간다.

필요한 기운

인성이 많다면 재성이 아주 좋은 해결책이 된다. 재성으로 과도한 인성을 극하는 것이다. 운으로 재성의 운이 들어오거나, 사주원국에 재성을 갖추고 있다면 과도한 인성을 제어할 수 있어서 좀 더 균형 잡힌 삶을 살 수 있다.

그렇다면 인성의 기운이 부족한 상황에서 해결책은 무엇일까? 다른 경우와 마찬가지로 부족한 인성의 기운을 채워 주는 것밖에는 방법이 없다. 따라서 흘러들어 오는 인성 운의 작용을 기대해 볼 수 있다. 대운으로 인성 운이 들어올 때, 세운으로 인성 운이 들어올 때 인성이 부족해서 생긴 단점이 보완되어 균형 잡힌 삶을 살아갈 수 있는 것이다.

단순하게 말하면, 인성이 부족할 때 필요한 기운은 인성이며, 운으로 인성의 기운이 들어왔을 때 인성이 부족해서 생긴 단점

	시주	일주	월주	연주
천간	식상 癸 계수	일간 辛 신금	관성 丁 정화	비겁 庚 경금
지지	巳 사화 관성	巳 사화 관성	亥 해수 식상	午 오화 관성

인성이 부족한 사주의 예시. 신금 일간의 사주이다. 토 인성의 기운을 찾아볼 수 없다.

이 보완될 수 있다. 다만 사주원국에 재성의 기운이 너무 강하다면 인성의 운이 들어오더라도 제대로 그 효과를 보기는 어렵다. 재성이 운으로 들어오는 인성을 튕겨 내기 때문이다.

비겁이 많은 사주의 특징

비겁은 일간과 같은 기운이다. 비겁이 많다는 것은 사주원국에 일간과 같은 오행이 많다는 의미다. 일간과 같은 오행이 많다는 것은, 일간의 기반이 탄탄하다는 뜻이다. 내가 많은 것, 내 분신이 많은 것, 내 동료가 많은 것이다. 많은 비겁은 탄탄한 자아, 강한 주체성을 의미하며, 나의 강한 힘을 믿고 세상에 도전하는 자세를 의미한다.

앞의 내용을 정리하면, 일간은 식상이 많은 상황에서는 왕성하게 활동해 힘이 빠지고, 재성이 많은 상황에서는 힘을 격렬하게 소진하고, 관성이 많은 상황에서는 억압당해 힘을 빼앗기며, 인성이 많은 상황에서는 감당하기 어려울 만큼 많은 힘을 받는다. 비겁이 많은 상황에서는 자기 자신의 힘이 지나치게 끓어 넘친다. 일간은 스스로의 강함, 자아의 비대함을 주체하지 못해 외부와 갈등하고, 주체를 증명할 방도를 찾느라 애를 먹는다. 자신이 세운 성에서 스스로 왕좌에 오른, 자아도취에 빠진 왕자와 공주로 비유할 수 있다.

일간을 주체로 보고, 비겁을 주체성을 더해 주는 힘으로 보았을 때, 비겁이 많은 사주는 일간인 주체의 힘이 과도한 것이 본질이다. 이에 근거해 다음과 같은 특징들이 나타난다.

천상천하 유아독존

비겁은 일간과 같은 세력이다. 일간 말고도 비겁이 많다는 것은 일간의 지지 기반이 탄탄하다는 뜻이다. 이로 인해 비겁이 많은 경우 자아가 특히 발달해 독불장군 같은 성향을 갖게 된다. 세상을 자기중심으로 생각하는 유아와 같은 태도를 지니며, 객관적으로 자신을 돌아볼 수 있는 힘을 잃는다. 왕자병, 공주병이라는 단어로도 설명할 수 있는데 가족과 친구들로 구성된 자신만의 성에서 자신만의 방식으로 세상을 살아가려는 사람이 많다. 지나친 자기애로 강한 성벽을 만들고 자신만의 왕국을 건설해 살아가는 셈이다. 칭찬과 인정을 지나치게 갈구하며, 자신은 개인주의적인 입장에서 행동했다고 생각한 것이 다른 사람들의 눈에는 이기주의로 비추어질 가능성이 크다. 완고하고 튼튼한 자신의 힘을 주체하지 못하는 것이 비겁이 많은 사주의 핵심이기에 신체, 사회적인 활동을 통해 강한 힘을 풀어내는 것이 필요하다.

직업적으로는 신체적인 활동이 요구되는 직업군과 잘 어울린다. 비겁이 많다는 것은 그만큼 몸이 여러 개임을 의미하기 때문이다. 몸이 많고, 몸의 힘이 강하므로, 몸을 써서 기운을 풀어내는 직업인 운동선수, 군인, 경찰, 경호원, 헬스나 필라테스 강사와 잘 어울린다. 강인한 체력을 바탕으로 먼 거리를 움직여야 하는 직업군과도 잘 어울린다. 자유 여행가, 외국 출장이 잦은 직업, 운수업 등을 들 수 있겠다.

과도한 경쟁심, 급한 성취욕

일간은 즉, 비겁은 재성을 극한다. 비겁이 많다는 것은 재성을 극하려는 욕망이 크게 드러나 있음을 의미한다. 일간 입장에서는 재성을 취하기 위해 다른 비겁들과 경쟁해야 한다는 뜻이다. 비겁의 기운이 많다면, 적은 양의 음식을 놓고 많은 형제자매, 친구들과 경쟁하는 삶을 암시한다. 친구와 형제자매가 많으면 든든하지만 한편으로는 그들과 나누어 먹어야 하고 경쟁해야 하는 것이다. 비겁이 많다면 어려서부터 경쟁적인 환경에 노출될 가능성이 크다. 평생 시기와 질투에 시달리는 경우가 굉장히 많으며, 집단 따돌림의 피해자가 되는 경우도 많다. 많은 형제자매, 친구들과 갈등하고 분쟁할 수밖에 없는 환경이 조성되어 있는 것이다.

따라서 비겁이 많은 사주에서는 유독 경쟁심이 발달한 경우가 많다. 욕심을 부리지 않으면 당장 먹을 것을 빼앗기기에 욕심, 특히 재물에 대한 욕심이 과도한 경우가 많다. 중요한 것은 그런 과도한 욕심 탓에 재물과의 인연이 더욱 멀어진다는 것이다. 급한 마음으로 큰 재물을 취하려 들면 반드시 재물은 등을 돌린다. 과도한 경쟁심은 급한 성취욕과도 어울린다. 사주에 비겁이 많으면 성급하게 성취하려는 경향이 강하고, 성취가 눈앞에 보일 때는 명예나 부끄러움도 잊고 달려든다.

직업적으로는 과도한 경쟁심과 성취에 대한 열망을 풀어낼 수 있는 직업군과 잘 어울린다. 무에서 유를 창조해 내야 하는 사업가, 개발업자, 프리랜서, 자영업자, 영업직, 전문직(의사, 변호사, 기자)을 들 수 있다.

조직과 학교 운 없음

일간을 땅으로 비유하면, 관성은 그 땅의 영역을 한정하고 활동을 제한하는 울타리로 볼 수 있다. 일간이 자유를 추구하는 인간이라면, 관성은 자유를 제한하는 법률과 제도이다. 비겁이 많다는 것은 땅이 무한대로 크다는 의미이고, 또한 자유를 향한 의지가 지나치게 크다는 뜻이다. 울타리로 제한할 수 없고, 법률과 제도로도 속박할 수 없다.

결국 비겁이 많은 사주에서는 관성이 제대로 기능하기가 어렵고, 오히려 어설픈 관성은 비겁의 힘에 치여 부정적으로 발현된다. 비겁이 많은 경우 관성의 작용이 제한되기에 관성에 해당하는 직장 운, 학교 운이 없는 경우가 굉장히 많다. 이를테면 억압적이고 틀에 박힌 조직 환경에서 비겁이 많은 사람들은 적응하기가 어렵다. 규율을 강제하는 학교, 복종을 강요하는 직장에서 비겁이 많은 사람들은 강하게 반발하고 튕겨 나오는 경우가 많다. 개인의 자유와 창의력이 보장되는 규율이 느슨하고 열린 조직에서 비겁이 많은 사람은 숨통이 트인다. 비겁이 많은 경우 스스로 '열린' 사회를 찾아 떠나는 결단이 필요하다.

비겁이 많은 경우 친구, 동료와의 인연은 강하게 드러나지만 부모, 배우자와의 인연은 적은 편이다. 본인의 힘이 너무 강해서 인성(부모)은 불필요하고, 재성 – 관성(배우자)은 밀어내 버리기 때문이다.

필요한 기운

비겁이 많은 사주는 주체성이 너무 강해 독불장군 같은 성향을 보이며, 재물욕도 강하다. 또한 자신을 제어하는 직장이나 학교와 인연이 없는 경우가 많다. 이는 모두 비겁의 기운이 과도한 탓에 일간의 힘이 너무 굳건해 발생하는 현상이다. 강한 주체성이 주변의 힘을 압도해 버리는 것이다. 이를 해결하려면 비겁의 기운을 소모해서 풀어 주는 것이 반드시 필요하다. 물통에 비유하면, 비겁이 많은 사주는 물통이 엄청 크거나 물통을 여러 개 가지고 있는 상황이다. 이런 상황에서 가장 필요한 것은 바로 물을 소모하는 일이다. 물을 과감하게 덜어 내고 써야 균형이 잡힌다. 인성이 많은 경우처럼 물을 과감하게 덜어 내려면 재성의 기운이 꼭 필요하다. 비겁이 많은 사주에서는 재성이 중요한 역할을 하며, 일간 주변에 재성의 기운이 있다면 균형 잡힌 사주가 된다. 일간 주변에 비겁만 가득하고 재성의 기운이 없다면 운으로 흘러들어 오는 재성의 기운을 기대해 볼 수 있다.

왕상휴수사의 관점으로 보면, 비겁은 일간의 기운을 더해 주

비겁이 많은 사주

물이 너무 많다.

필요한 기운

재성의 도움으로 균형을 잡을 수 있다.

는 요소이다. 비겁이 많은 사주는 일간의 기운을 더해 주는 힘이 강한 상황을 의미하므로, 일간은 과도한 힘을 감당하지 못해 불편함을 겪을 수밖에 없다. 따라서 재성으로 일간의 힘을 덜어 내 줘야 한다.

오행의 상생상극 표로 살펴보면, 비겁이 많아 일간의 힘이 과도할 때, 강한 재성의 기운으로 일간을 도와줄 수 있다.

비겁이 많은 사주에서 재성이 제 역할을 한다면, 다음 표처럼 비겁이 많아 생긴 단점이 보완된다.

단순하게 말하면, 비겁은 강한 자아와 주체성이고, 재성은 사회적인 활동력으로 볼 수 있다. 똘똘 뭉친 강한 자아를 사회적

극의 관점

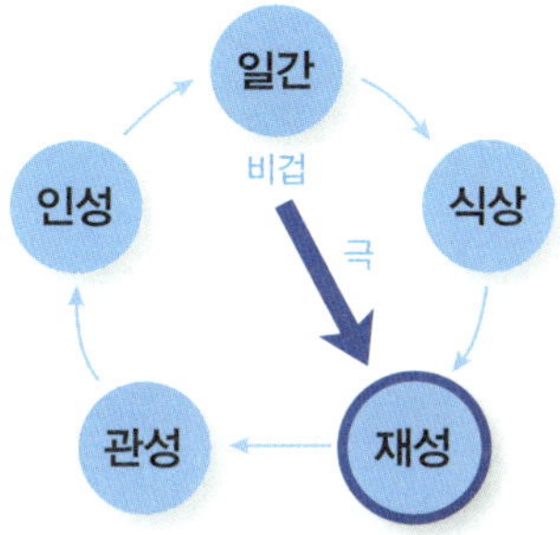

일간이 재성을 극하며 기운을 소모하여 균형을 잡을 수 있다.

비겁이 많을 때의 부정성	비겁이 많은 사주가 재성을 갖추었을 때의 긍정성
지나친 자기애 탓에 사회로부터 고립될 수 있다.	탄탄한 자기애를 바탕에 깔고 사회생활을 하기 때문에 늘 당당하고 자신감이 넘친다.
경쟁심, 투쟁심, 승부욕이 지나쳐서 갈등을 겪고 문제를 일으킨다.	적극적으로 사회적인 과제를 해결해서 크게 성취해 낸다.
조직에 적응하지 못하고 방황한다.	자유롭고 독립적인 방식으로 세상과 소통한다.

인 활동력으로 풀어낼 수단이 있는 것과 없는 것은 큰 차이가 있다.

비겁이 많은 사주에서 재성이 중요한 역할을 하는 것을 이해한다면, 실제 사주 상담의 현장에서 다양하게 활용할 수 있다.

사주원국에 재성이 있다면, 재성을 아끼고 보호해야 한다는

	시주	일주	월주	연주
천간	비겁	일간	비겁	비겁
	己	戊	戊	戊
	기토	무토	무토	무토
지지	未	戌	午	辰
	미토	술토	오화	진토
	비겁	비겁	인성	비겁

비겁이 많은 사주의 예시. 무토 일간의 사주에 토 비겁의 기운 6개가 자리 잡고 있다. 비겁이 많은 사주이다.

	시주	일주	월주	연주
천간	비겁	일간	비겁	인성
	庚	庚	辛	戊
	경금	경금	신금	무토
지지	辰	寅	酉	申
	진토	인목	유금	신금
	인성	재성	비겁	비겁

비겁이 많은 사주에 재성이 보완되어 균형 잡힌 사주의 예시. 경금 일간의 사주에 비겁의 기운 4개가 자리 잡고 있다. 일지의 인목이 균형을 잡는 데 큰 도움을 주고 있다.

조언을 해 줄 수 있고, 재성이 없는 사주라면, 재성이 들어오는 운의 흐름을 기대해 보자는 조언을 할 수 있을 것이다.

재성이 있는데 어떤 운의 조건에 의해 흔들리고 있다면, 그 시기에 유의하라는 조언을 할 수 있을 것이다. 재성에 해당하는 육친(아버지, 아내)과의 관계를 소중히 여기라는 조언도 가능하다. 더불어 재성에 해당하는 행동 양식인 사회, 경제적인 활동에 관심을 기울이라고 말할 수 있다. 재성이 목 기운이라면, 목 기운을 끌어당길 수 있는 방책을 통해 재성의 기운을 보존하라고 조언할 수 있겠다.

비겁이 부족한 사주의 특징

비겁은 일간과 같은 힘이다. 비겁이 없다면, 일간을 떠받칠 지지 기반이 부족하다고 볼 수 있다. 또한 비겁은 형제자매, 자신의 분신과 같은 힘으로 볼 수 있으므로 비겁이 없다면 혼자 외롭게 세상과 투쟁해야 함을 의미한다. 물통의 크기가 작고 물통의 숫자가 적다면, 적은 양의 물로만 평생을 살아야 하니 그만큼 불리한 조건에 처해 있는 셈이다.

일간을 주체, 비겁을 주체를 도와주는 세력으로 보았을 때, 비겁이 부족한 사주는 주체를 떠받치는 힘이 거의 없는 상황이다. 비겁이 부족한 사주는 다음과 같은 특징들이 나타난다.

자신감 부족

비겁은 주체성, 든든한 터전을 뜻한다. 비겁이 없다면 주체성이 부족하고, 자신을 확신하기 어려움을 암시한다. 자아가 허약한 경우로 볼 수 있다. 자신을 믿고 세상과 겨루어 볼 마음 자체가 생기지 않고, 어떤 결정을 해도 항상 불안해함을 뜻한다. 어떤 행동의 결과가 미칠 파장에 대해 전전긍긍하는 자세, 책임지지 않으려는 자세를 의미하기도 한다. 독립적인 판단 능력이 떨어지기에 남의 시선과 평가에 의지하는 태도도 드러난다.

부족한 승부 근성

재성을 쟁취하려는 욕망이라고 한다면, 비겁은 쟁취할 수 있는 힘을 의미한다. 비겁이 없다는 것은 쟁취할 수 있는 힘이 부족하다는 뜻이다. 눈앞에 취해야 할 대상이 있는데도 힘이 없어 가만히 흘려보내는 상황과도 같다. 승부 근성이 부족하고, 기어이 자신의 것으로 만들려는 욕망과 의지가 부족한 것으로도 볼 수 있다. 그렇기에 늘 시도만 하고 결과가 드러나지 않는 삶을 사는 사람이 많다. 우직하게 끝까지 밀어붙여야 진정 내 것이 되고 완벽하게 소유할 수 있는데 밀어붙이는 힘이 부족하다 보니 중도 탈락, 구경꾼의 삶을 사는 경우가 많다. 어떤 일을 하든지 방관자의 자세로 임하며, 일의 결과가 어떻든 헛헛한 마음이 드는 경우가 많다. 내 것이 아니다, 내 일이 아니다는 마음가짐이 어중간한 감정과 결과를 빚어내는 것이다.

활동성의 부족

비겁은 물상적으로는 내가 가진 만큼의 땅, 영역을 의미한다. 비겁이 없다면 땅이 극히 제한되어 있음을 암시한다. 제한된 땅만을 가지고 세상을 살아야 하니 활동성과 생동감이 심하게 떨어지는 삶을 살아갈 가능성이 크다. 땅이 적으니 키울 수 있는 작물이 한정되고, 관리해야 할 영역이 좁아 나이가 들어 가면서 위축되고 종속적인 삶을 살아가는 사람이 많다. 정신, 육체적인 에너지가 떨어지기에 무기력한 삶, 변화가 없는 삶을 암시하기도 하는데 이는 곧 영토의 축소로 이어진다. 내가 활동하고 주장하지 않으니 내 땅이 조금씩 침해당하는 것이다.

필요한 기운

비겁이 많다면 재성이 아주 좋은 해결책이 된다. 재성을 통해 과도한 비겁의 기운을 풀어낼 수 있는 것이다. 운으로 재성의 운이 들어오거나, 사주원국에 재성을 갖추고 있다면 과도한 비겁을 풀어낼 수 있어서 훨씬 숨통이 트이는 삶을 살 수 있다.

비겁의 기운이 부족한 상황이라면, 해결책 역시 다른 경우와 같다. 부족한 비겁의 기운을 채워 주는 것밖에는 방법이 없다. 따라서 흘러들어 오는 비겁 운의 작용을 기대해 볼 수 있다. 대운으로 비겁 운이 들어올 때, 세운으로 비겁 운이 들어올 때 비겁이 부족해서 생긴 단점이 보완되어 균형 잡힌 삶을 살아갈 수 있는 것이다.

단순하게 말하면, 비겁이 부족할 때 필요한 기운은 비겁이며, 운으로 비겁의 기운이 들어왔을 때 비겁이 부족해서 생긴 단점이 보완된다. 다만 사주원국에 관성의 기운이 너무 강하면 비겁의 운이 들어오더라도 제대로 그 효과를 보기는 어렵다. 관성이 운으로 들어오는 비겁을 튕겨 내기 때문이다.

	시주	일주	월주	연주
천간	관성	일간	인성	관성
	辛	乙	壬	庚
	신금	을목	임수	경금
지지	巳	巳	午	午
	사화	사화	오화	오화
	식상	식상	식상	식상

비겁이 부족한 사주의 예시. 을목 일간의 사주이다. 목 비겁의 기운을 찾아볼 수 없다.

2장

천간과 지지의 상호 작용

간지의
본질과 회전

하나의 기운이 본질적으로 지향하는 것은 무엇일까? 음양의 수준에서는 쉽게 파악할 수 있다. 음은 양을 지향하고, 양은 음을 지향한다. 즉 반대편을 지향한다. 그래야만 서로 공존할 수 있고, 조화를 이룰 수 있다. 서로가 서로를 지향하지 않으면 존재 자체가 불가능하다. 우주적인 관점에서든, 초미시적인 양자의 영역에서든 대립되는 두 개의 기운으로 인해 존재가 가능해진다. 다른 천체 주변을 회전하지 않는 천체는 없으며, 초미시적인 관점에서도 모든 존재는 쌍을 이루고 있다.

그렇다면 음양을 벗어나 오행의 수준에서 바라보면 어떠할까? 하나의 오행은 본질적으로 어떤 기운을 지향할까? 음이 양을 갈망하는 것처럼, 양이 음을 쟁취하려는 것처럼 하나의 오행도 본질적으로 다른 오행을 지향하지 않을까? 음양이나 사상四象[•]의

• 우주를 네 개로 분할해 이해하는 방식으로, 태극(음양)을 소양·태양·소음·태음으로 나눈 것을 사상四象이라고 한다.

관점에서는 반대편이라는 개념이 명백하지만, 오행의 관점으로 보면 반대편이 명확하지 않다. 즉 목 기운을 기준으로 보았을 때, 반대편이 어떤 기운인지가 확실하지 않다. 금이 반대편인지, 토가 반대편인지가 확실하지 않다. 직관적으로 보았을 때도 생극의 오각형을 반으로 나누는 것 자체가 어색하며, 하나의 꼭짓점이 다른 무엇을 지향한다고 하기가 애매하다. 또한 이미 우리는 오행의 상생상극이라는 이치를 알고 있다. 오행은 상생상극의 관계성 안에서 움직이는 것이지 특별하게 어떤 기운을 지향하지 않는다.

하지만 우주의 순환과 회전이라는 측면에서 볼 때, 하나의 오행은 분명히 다른 하나의 오행을 지향한다.

오행의 순환 도표에서 오행이 순환하려면 어디로 힘이 가해져야 할까? 즉 하나의 기운이 어느 곳을 지향해야 오행이 제대로 순환할 수 있을까? 이해를 위해 목화토금수의 순서로 예를 들어 보자. 목을 기준으로 잡으면, 기운은 목에서 출발하여 화, 토로 뻗어나간다. 반면 금, 수의 기운은 목을 향해 들어온다. 만약 목이 수를 지향한다면 제대로 된 순환이 일어나지 않는다. 역행이 된다. 또한 목이 금을 지향한다면 역시 순환 과정이 어그러진다. 그렇다면 답은 둘 중 하나다. 바로 화인가 토인가이다. 목이 화를 지향한다고 해야 말이 맞는 것처럼 보인다. 목은 화를 생하고, 목생화는 목화토금수의 자연스러운 흐름으로 연결되기 때문이다. 하지만 순환하기 위해서는, 즉 회전하기 위해서는 더욱 강한 힘이 필요하다. 바로 앞을 보고 나아가면, 순환하는 것이 아니라 직행하게 된다. 순환하려면 더욱 강한 추동력이 필요하고, 강한 추동력으로 밀어붙였을 때 비로소 원심력이 작용하여 안정적으로 등속운동을 하게 된다. 인공위성은 지구를 안정적으로 돌기 위해 중력에 버금가는 추진력을 이용해 자리를 잡는다. 그냥 우주로 쏘아 버린 인공위성은 다시 지구로 돌아오거나 지구 밖으로 영원히 떠난다.

우리가 보통 생각하는 것과는 달리 오행의 순환은 생을 통해서 이루어지는 것이 아니라 극을 통해서 이루어진다. 생은 극의 결과물일 뿐, 실제로 모든 작용의 근원은 극이다. 오로지 극을 통해서만 오행은 순환할 수 있고, 균형과 중심을 잡을 수 있다. 목이 화로 흐르는 것은 목이 토를 지향하는 것에 따른 결과물인 것이다.

극의 결과가 생이 되는 그림

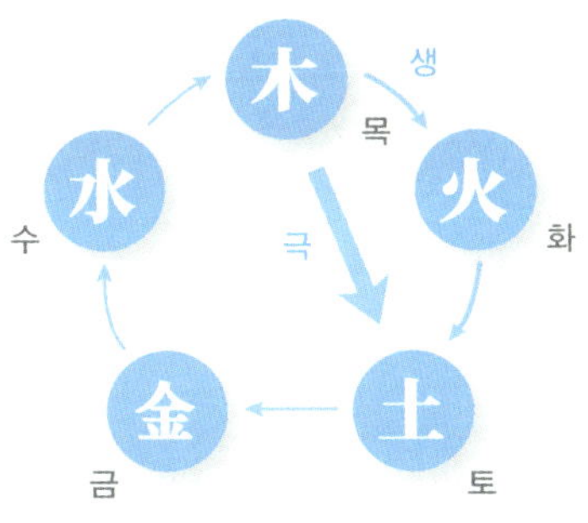

목이 토를 극한 결과로 목생화의 순환이 일어난다.
목의 본질은 토를 극하는 것이다.

오행은 한 칸 건너에 있는 오행을 지향한다. 이것이 모든 기운의 본질이고, 우주를 구성하는 힘의 근원이다. 거대 항성의 엄청난 폭발력과 가속력이 항성 주변 모든 천체 운동의 전제가 된다. 반대편을 열망하는 강렬한 가속력이 있었기에 결과적으로 천체들의 안정적인 등속운동이 가능해진 것이다. 항성이 생성되는 초창기의 강렬한 폭발 즉, 가속력을 우주적인 관점에서는 빅뱅이라 하고, 사주명리에서는 극이라 부른다. 극이라는 본질적인 힘을 통해 항구적인 생의 흐름이 가능해진 것이다.

목은 토를, 화는 금을, 토는 수를, 금은 목을, 수는 화를 극하는 것이 모든 작용의 본질이고, 모든 오행이 가장 하고 싶어 하는 일이다. 목은 토를 극했을 때 비로소 행복해진다. 이를 십신으로 환산하면, 모든 작용의 본질은 재성으로 볼 수 있다. 결국 일간은 재성을 썼을 때 가장 행복하며, 재성을 쓰기 위해 삶을 살아간다고도 볼 수 있다. 그렇다면 오행의 지향점인 재성을 바탕으로 좀 더 세밀하게 알아보자.

천간의 본질과 극

오행의 수준에서 볼 때, 극하는 것이 기운의 본질이고 고유한 최종 지향점이 된다. 먼저 오행이 음양으로 분화한 천간의 관점에서 최종 지향점을 찾아보자. 갑목부터 천천히 알아보자.

천간

양목인 갑목의 최종 지향점은 바로 토가 된다. 토를 음양으로 나눠 보면, 무토와 기토가 최종 지향점이다. 즉 갑목은 무토나 기토를 만나면 뒤도 보지 않고 강하게 달라붙는다. 갑목은 무토나 기토를 만나기 위해 태어났다고도 볼 수 있다. 음과 양이 조화를 이루는 것처럼 갑목은 무토와 기토를 눈앞에 두면 반갑게 맞이한다.

갑목이 토를 만나다

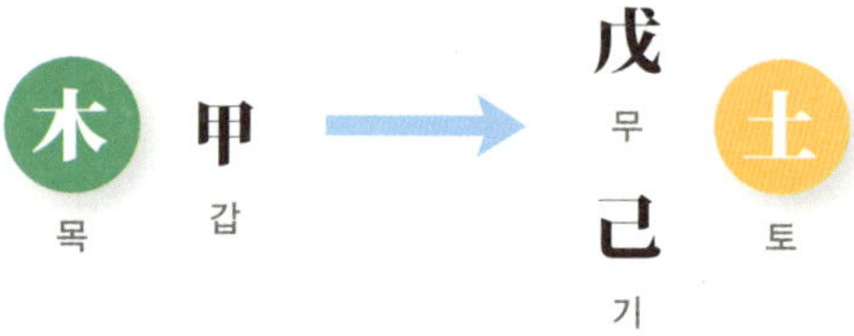

갑목이 무토를 만나면, 반가워하면서 신나게 무토를 극한다. 앞도 뒤도 보지 않고 사정없이 무토를 극한다. 갑목과 무토의 음양이 같기에 이 과정에서 이루어지는 극은 격렬하고 즉각적이다. 갑목의 입장에서 보면 정신없이 때리는 것이고, 무토의 입장에서 보면 전혀 반항하지 못한 채 당하는 것이다.

갑목이 무토를 극하다

반면 갑목이 기토를 만났을 때는 반가워하면서 정답게 사랑을 나눈다. 즉 갑목과 기토는 서로 합을 한다. 갑목은 기토를 만나면 어루만지고 아끼고 껴안는다. 갑목과 기토의 음양이 다르기에 갑목이 기토를 지향하는 것은 음과 양의 참다운 교감, 기운의 본질적인 협응으로 볼 수 있다. 갑목의 입장에서는 기토를 아끼고 보호해서 껴안는 것이고, 기토의 입장에서 보면 갑목에 폭 안겨 보호를 받는 것이다.

갑목이 기토와 사랑에 빠지다

음과 양의 완전한 결합
이질적인 기운끼리의 이상적인 결합

이렇듯 천간의 관점에서 보면 상대하는 천간이 음이냐 양이냐에 따라 관계성이 극단적으로 달라진다. 음과 양이라는 절대적이면서도 본질적인 차이에 의해 합과 극이라는, 극명하게 다른 관계가 형성되는 것이다.

양간의 극과 합

사주 이론가들은 아주 오래전부터 음양에 따른 극의 상반된 작용을 알고 있었고, 이를 용어로 정리해 두었다. 갑목이 무토를 만나서 완벽하게 무토를 제압하는 것을 '극'(혹은 살)이라 하고, 갑목이 기토를 만나서 다정하게 껴안는 것을 '합'이라 한다.

갑목에 이어 병화를 알아보자. 양간인 병화의 최종 지향점은 바로 금이다. 금을 음양으로 세분화하면, 경금과 신금이다. 병화는 경금, 그리고 신금을 만나면 반갑게 달려가서 호응한다. 병화가 경금을 만나면, 병화가 완전히 경금을 제압하는 극의 관계가 형성되고, 신금을 만나면 병화와 신금은 다정하게 합을 이룬다. 경금의 입장에서 보면, 병화로부터 완전히 제압당해 기능을 상실한다. 신금의 입장에서는 병화와 완전하게 합을 해서 충족감을 느끼고 보호도 받는다. 병화는 경금을 공격하고, 신금과는 사랑을 나눈다.

무토 역시 마찬가지이다. 무토는 본질적으로 수를 향한다. 무토는 무자비하게 임수를 극하고, 계수와는 정답게 합을 한다. 임수의 입장에서는 무토가 등장하면 완전히 기능을 잃고, 계수의 입장에서는 무토가 등장하면 무토의 품 안에 쏙 안긴다.

경금도 마찬가지이다. 경금은 본질적으로 목을 향한다. 경금은 무자비하게 갑목을 극하고, 을목과는 정답게 합을 한다. 갑목의 입장에서는 경금이 등장하면 완전히 기능을 잃고, 을목의 입장에서는 경금이 등장하면 경금의 품 안에 쏙 안긴다.

임수도 이와 같다. 임수 역시 본질적으로 화를 향한다. 임수는 무자비하게 병화를 극하고, 정화와는 정답게 합을 한다. 병화의 입장에서는 임수가 등장하면 완전히 기능을 잃고, 정화의 입장에서는 임수의 등장으로 인해 오히려 안정감을 느낀다.

하나의 기운은 재성을 향하여 나아가는 것이 본질이고, 그 기운이 음양으로 나뉘어 합과 극의 상반된 성향을 드러낸다. 이것은 마치 새끼줄이 꼬아지면서 앞으로 나아가는 것과 같다. 19

양간의 극과 합

세기 영국의 물리학자 맥스웰의 전자기파 이론에 의하면 빛은 전기와 자기로 이루어져 있으며, 전기와 자기는 상호 작용하고 교차하면서 앞으로 나아간다. "전기와 자기의 상호 작용이 곧 빛이다"는 전자기파 이론을 보더라도 만물은 음양의 융합을 바탕으로 작용한다는 것을 확인할 수 있다.

그런데 재성을 향해 음양으로 분화되어 나아가 합과 극을 이루는 것을 모든 기운의 본질로 보았을 때, 우리가 생각해야 할 것은 바로 음간의 상황이다. 갑목의 경우, 기토와 무토를 지향하는 것이 본질이다. 갑목은 기토를 만났을 때 완전한 일치와 안정을 이루고, 무토를 만나면 파극 즉, 깨뜨리고 박살 내면서 변화를 이룬다. 무토를 밀고 기토를 당기면서 갑목은 하나의 기운으로 존재하는 것이다.

그런데 기토의 입장에서 살펴보면, 기토는 갑목과 합을 한다. 하나의 기운의 본질은 재성이라고 하였는데, 어째서 기토의 경우는 관성인 갑목과 합을 하는가. 기토도 하나의 기운이니 기토의 재성인 임수와 합을 해야 하지 않을까? 이는 음과 양의 기묘한 차이로 설명할 수 있다. 양간인 갑목이 재성인 기토를 지향하려면 반드시 그 반대 방향의 힘도 작용해야 한다. 즉 기토가 관성인 갑목을 지향해야 힘의 균형이 맞는다. 이는 투명한 책받침의 한쪽에 화살표를 그리는 것으로 설명할 수 있다. 투명한 책받침의 한 면에 화살표를 그리면, 책받침의 반대 면에서는 다른 방향으로 향하는 화살표가 나타난다. 한쪽으로 향하는 힘을 반대쪽에서 보면 방향이 전혀 다른 힘이다. 따라서 양간이 재성을 지향하려면, 음간은 관성을 지향해야 한다. 하나의 기운이 음과 양으로 나뉘었으므로, 그 작용도 반드시 반대로 일어나야 하는 것이다.

정리하면, 양간인 갑목·병화·무토·경금·임수는 재성을 지향하는 것이 본질이고, 각각 정재와는 합을 하고, 편재는 극한다. 극단적으로 말하면, 양간은 재성을 취하기 위해 태어났다. 정재는 부드럽게 끌어안아서 내 편으로 만들고, 편재는 사정없이 파고들어 취한다.

반면 음간인 을목, 정화, 기토, 신금, 계수는 관성을 지향하는 것이 본질이고, 각각 정관과는 합을 하고, 편관에게는 극을 당한다. 극단적으로 말하면, 음간은 관성에 포섭당하기 위해 태어났다. 정관과는 부드럽게 합을 해서 안정감을 누리고, 편관에게는 극을 당하면서 제압당한다.

위에서 오행의 본질을 재성이라고 말한 것은 투명한 책받침의 앞면을 기준으로 설명한 것이다. 그 책받침을 뒤집으면, 모든 오행의 본질은 관성이다. 재성이 존재하려면 그 뒤에서 관성의 힘이 동시에 작용해야 한다. 하나의 기운은 반드시 반대편의 다른 기운을 안고 있는데, 이 작용을 극명하게 드러내는 것이 바로 양간과 음간의 합과 극이다. 간단히 정리하면, 양간의 최종 지향점은 재성이고, 음간의 최종 지향점은 관성임을 알 수 있다.

음간의 극과 합

더 이해를 돕기 위해 음간의 입장에서 합과 극을 하나씩 알아보자.

음간인 을목의 최종 지향점은 바로 금이다. 금을 음양으로 세분화하면, 경금과 신금이다. 을목은 경금, 그리고 신금을 만나면 기꺼이 호응한다. 을목은 경금을 만나면, 반갑게 합을 이룬다. 경금의 품 안에서 안정을 찾는다. 을목이 신금을 만났을 때는 신금으로부터 극을 당하며 힘을 빼앗긴다. 완전히 신금에 장악당하는 것이다.

정화의 최종 지향점은 바로 수다. 수를 음양으로 세분화하면, 임수와 계수이다. 정화는 임수, 그리고 계수를 만나면 기꺼이 호응한다. 정화는 임수를 만나면, 반갑게 합을 이룬다. 임수의 품 안에서 안정을 찾는다. 정화가 계수를 만났을 때는 계수로부터 극을 당하며 힘을 빼앗긴다. 완전히 계수에 장악당하는 것이다.

기토의 최종 지향점은 바로 목이다. 목을 음양으로 세분화하면, 갑목과 을목이다. 기토는 갑목, 그리고 을목을 만나면 기꺼이 호응한다. 기토는 갑목을 만나면, 반갑게 합을 이룬다. 갑목의 품 안에서 안정을 찾는다. 기토가 을목을 만났을 때는 을목으로부터 극을 당하며 힘을 빼앗긴다. 완전히 을목에 장악당하는 것이다.

신금의 최종 지향점은 바로 화다. 화를 음양으로 세분화하면, 병화와 정화이다. 신금은 병화, 그리고 정화를 만나면 기꺼이 호응한다. 신금은 병화를 만나면, 반갑게 합을 이룬다. 병화의 품 안에서 안정을 찾는다. 신금이 정화를 만났을 때는 정화로부터 극을 당하며 힘을 빼앗긴다. 완전히 정화에 장악당하는 것이다.

계수의 최종 지향점은 바로 토다. 토를 음양으로 세분화하면, 무토와 기토이다. 계수는 무토, 그리고 기토를 만나면 기꺼이 호응한다. 계수는 무토를 만나면, 반갑게 합을 이룬다. 무토의 품 안에서 안정을 찾는다. 계수가 기토를 만났을 때는 기토로부터 극을 당하며 힘을 빼앗긴다. 완전히 기토에 장악당하는 것이다.

오행이 순환하려면 강한 추동력이 필요한데, 그 추동력은 양

음간의 극과 합

간의 입장에서는 재성의 방향으로 전개된다. 동시에 그 반대편, 즉 음간의 입장에서는 관성의 방향으로 전개된다. 오행의 이러한 본질에 의해, 양간은 재성과 합을 이루고, 동시에 음간은 관성과 합을 이룬다. 양간은 정재를 지향하면서 동시에 편재를 강렬히 원한다. 양간은 무엇인가를 취할 때 비로소 양간다움을 발휘할 수 있는 것이다. 동시에 음간은 정관을 지향하면서 동시에 편관을 강렬히 원한다. 음간은 무엇인가에 포섭당해 안정을 찾을 때 비로소 음간다움을 발휘할 수 있는 것이다.

천간의 관계의 총체는 합과 극에 있으며, 합과 극을 제대로 이해하면, 순수한 우주의 기운인 천간의 본질을 제대로 통찰할 수 있다. 음간이 좋은가 양간의 좋은가 하는 이분법, 재성이 좋은가 관성이 좋은가 하는 단순한 논리로 간지를 보는 방식을 버려야 한다. 실제로 음과 양은 같이 존재하고 있음을, 재성과 관성은 실질적으로 같은 힘임을 이해한다면 사주를 좀 더 깊고 정확하게 해석할 수 있다.

천간에서의 극

극의 경우, 극을 당하는 간지는 완전히 그 기능을 잃어버리고, 힘을 쓸 수 없다. 공격으로 인해 완전히 위축되는 것이다. 만약 월간에 병화가 놓여 있고, 연간에 임수가 놓여 있다면, 월간의 병화는 기능을 잃어 제대로 작용하기가 어렵다. 병화의 십신이 재성이라면 재성의 기능이 심하게 제한된다. 그래서 월간에 병화가 놓여 있는데, 운으로 임수 운이 들어온다면 유심히 살펴야 한다. 임수는 그 본질에 의해 병화가 나타나면 반드시 병화를 극한다. 병화를 극하는 것이 임수의 존재 이유이기 때문에 병화가 나타나면 뒤도 보지 않고 극하는 것이다. 뒤에서 다루겠지만 임수에 극을 당하는 병화가 사주원국에서 중요한 요소•로 있다면, 삶에서 큰 변화가 드러난다. 아주 강렬하고 급격한 변화가 일어나기에 천간에서의 극은 아주 면밀하게 관찰해야 한다.

천간의 극은 그 강렬한 작용 탓에 항상 주의 깊게 살펴야 하지만, 양간과 음간으로 나눠 생각하면 상황이 달라진다. 양간

• 여기서 '중요한 요소'는 용신을 가리키는데, 용신에 대해서는 뒤에서 자세히 다룰 것이다.

은 본질적으로 재성을 지향하고 또한 극을 위해 태어났다고 볼 수 있다. 그렇기 때문에 극의 작용이 아주 강렬하고, 극으로 인한 결과가 급박하고 드라마틱하게 삶에 드러난다. 갑목이 무토를 극하고, 병화가 경금을 극하고, 무토가 임수를 극하고, 경금이 갑목을 극하고, 임수가 병화를 극하는 것을 유심히 살펴야 한다.

1권에서 배운 천간의 속성을 극에 적용하면, 갑목이 무토를 극했을 때는 무토의 특성인 평정심과 포용력에 문제가 생긴다. 또한 무토가 가리키는 신체 부위인 소화기 계통에 문제가 있음을 암시한다. 병화가 경금을 극했을 때는 주체성이 완전히 무너진다. 확고한 신념의 붕괴로 인한 문제에 봉착할 수 있다. 또한 경금이 가리키는 신체 부위인 폐와 기관지, 대장에 문제가 생길 수 있다. 무토가 임수를 극했을 때는 정신적인 문제가 드러나기 쉽다. 우울증이나 공황장애에 취약하다. 또한 임수의 장점이라고 할 수 있는 평정심과 여유가 무너져 감정의 기복이 심해질 수 있다. 경금이 갑목을 극했을 때는 갑목 특유의 생동감이나 활동력이 심하게 위축될 수 있다. 또한 갑목이 가리키는 신체 부위인 척추나 신경계통에 문제가 생길 수 있다. 임수가 병화를 극했을 때는 병화의 자신감과 표현력이 위축될 수 있다. 또한 병화가 가리키는 신체 부위인 심혈관, 눈에 문제가 생길 수 있다. 사주를 풀이할 때 천간에서는 극을 적용할 수 있고, 여기에 십신까지 대입하면 극의 활용 범위가 무궁무진해진다. 1권에서 기초를 잘 다졌다면, 천간의 극만으로 많은 해석의 묘미를 발휘할 수 있다.

한편 음간의 경우에는 본질적으로 극을 기다리는 의미가 있기 때문에, 양간에 비해 극의 부작용이 드라마틱하게 드러나지는 않는다. 예를 들어 병화가 중요한 요소일 때 임수가 와서 극을 하면 균형이 크게 무너지지만, 정화가 중요한 요소일 때 계수가 와서 극을 하면 그나마 균형을 지킬 수 있는 것이다.

천간의 극

양간의 극(작용력이 강하다)

음간의 극(작용력이 약하다)

천간의
합

천간에서의 합

합의 경우에는 합에 의한 여러 작용을 염두에 둬야 한다. 천간이 합을 한다는 것은 불완전한 두 개의 간지가 만나 완전히 하나로 뭉쳐진다는 뜻이다. 우주를 떠돌던 음과 양이 비로소 만나 하나의 태극을 이루는 것이 합인데, 합이 발생한 경우 강한 결속력을 자랑한다. 하나의 천간이 주변의 다른 천간과 합을 이룰 때, 그 둘은 결속하여 융합한다. 융합의 결과 두 간지는 다른 간지들과 상호 작용하는 것에는 관심이 없고 오로지 둘만의 관계에 매몰된다. 사랑에 빠진 남녀가 자기들만의 세계에 빠져 다른 모든 대인 관계를 등한시하는 것처럼, 두 개의 간지는 합으로 인해 묶이면서 에너지를 한쪽으로만 쓰게 된다. 이는 다른 간지들의 입장에서는 배신의 행위로 볼 수 있고, 사주팔자 여덟 글자의 입장에서 보면, 기능이 오히려 축소되는 것으로도 볼 수 있다. 여덟 명의 병사들로 전투를 치러야 하는데, 그중 두 명이 사랑을 나누느라 전투에 등한시한다면 전체적으로 전투력이 떨어지는 상황으로 비유할 수 있다.

또한 합이 되면 두 개의 간지가 가진 기능과 속성이 융합된다. 모든 간지는 개별적인 기운을 가지고 있고, 독립적으로 목소리를 낸다. 하지만 합의 관계가 형성되면, 드라마틱하게 두 간지의 기능과 속성이 융합된다. 합으로 인해 두 개의 간지가 마치 하나의 몸처럼 붙어 버림으로써 각 간지가 가진 능력들이 하나로 뭉쳐지는 효과가 나타나는 것이다. 병화와 신금이 합을 하면, 오행 화와 금의 융합이 일어난다. 오행의 속성으로 보자면, 발산하려는 화의 힘과 수렴하려는 금의 힘이 만나 서로 섞이면서 발산과 수렴의 이중성을 보이는 것이다. 병화는 신금의 뜻대로 자신의 힘을 조절하면서 활동성을 드러내고, 신금은 병화의 뜻대로 자신의 힘을 드러내면서 응축할 것이다. 임수 일간의 사주에서 병화는 편재이며, 신금은 정인이다. 임수 일간의 사주에서 병화와 신금이 서로 합을 하고 있다면, 편재와 정인이 만나 융합하는 것을 의미한다. 즉 정인의 고고한 이상과 편재의 활동성이 서로 융합하여 고고한 이상을 널리 펼치는 상황이 발생한다. 융합으로 인해 정인이라는 알맹이를 갖춘 편재와, 편재라는 활동성을 갖춘 정인의 힘이 발현되는 것이다. 이를 좀 더 세속적으로 해석하면, 어떤 조건에 의해 정인과 편재가 합을 하게 되면, 인성을 의미하는 묵혀 두었던 증서(주식, 땅문서, 상속, 특허권, 지적재산권)가 재성이라는 현금성 재산으로 탈바꿈하게 되는 결과로 드러난다.

또한 힘이 약한 천간이 합을 이루게 되면, 그 천간은 보호받는다. 천간이 약하다는 말은, 그 천간이 극을 당하고 있어 기운을 많이 빼앗기고 있다는 의미다. 약한 기운은 마땅히 약한 것의 단점이 극명하게 드러난다. 하지만 약한 천간이 다른 천간과 합을 하면, 둘이 하나로 묶이면서 안정감을 느끼고 보호받는다. 물론 두 개의 간지가 하나로 묶이기에 간지의 고유한 기능이 제한되지만, 공격당하는 일은 없는 것이다. 융합하면서 자신의 정체성을 일부 버렸지만, 그 반면 위험에 노출되지 않는 상황으로 볼 수 있다.

천간의 합의 특징을 정리하면 다음과 같다. 첫 번째 특징은 합을 이루면 오로지 합을 이루는 대상과의 관계만을 바라보느라 기능이 한쪽으로 쏠린다. 일간이 정재와 합을 하고 있다면, 정재의 특성이 아주 강하게 드러나고, 다른 간지들의 기능은 비교적 제한된다. 두 번째, 합을 이루면 두 개의 기능이 서로 융합한다. 오행과 십신의 기능과 속성이 융합하여 복합적으로 드러난다. 이를 다양한 방식으로 해석하면 많은 통찰을 얻을 수 있다. 세 번째, 합을 이루는 간지는 기능이 축소되는 특성이 있는 반면, 다른 간지들로부터 비교적 공격을 덜 받는다. 든든한 배우자를 옆에 두고 있으니, 함부로 건들 수 없는 것이다.

대대로 고전 명리학 이론에서는 갑기합토, 을경합금, 병신합수, 정임합목, 무계합화라고 하여, 천간이 합을 이룰 때 다른 오

천간끼리 만난 결과 생성되는 오행

천간	천간	만남의 결과 생성되는 오행
甲	己	土
갑기합토		
乙	庚	金
을경합금		
丙	辛	水
병신합수		
丁	壬	木
정임합목		
戊	癸	火
무계합화		

행을 생성한다고 보았다. 예를 들어 갑목과 기토가 만나면, 둘의 관계에서 토 기운이 생성되는데, 이 토 기운으로 인해 갑목이 토 기운으로 변한다고 본 것이다. 이를 바탕으로 사주원국을 해석하거나 운의 작용을 설명하기도 하지만 실제로는 두 개의 천간이 만났을 때 새로운 기운을 생성해 내지 않는다. 더불어 하나의 기운이 다른 기운으로 탈바꿈한다는 것은 우주의 이치와도 맞지 않는다.

많은 명리학자가 합을 통해 기운이 변한다고 보고 있는데(이를 합화合化라 한다), 그렇게 생각할 수 있는 이유는 합을 통해서 천간의 기운이 제한되기 때문이다. 갑목은 기토가 눈앞에 나타나면 기토를 포섭하느라 갑목 고유의 작용을 제한한다. 즉 자기가 해야 할 일을 제대로 하지 않는 것이다. 하지만 사랑에 빠져서 일을 하지 않을 뿐, 갑목이 다른 기운으로 바뀐 것은 아니다. 결과적으로 갑기합토, 병신합수와 같이 합을 통해 다른 오행을 생성해 낸다는 합화 이론은 비유적인 의미로 받아들여야지, 사주 해석에 적극 활용해서는 안 된다.

현재는 합화에 대해 세세한 용례를 들어 설명한 책을 찾아보기 어렵다. 총론적인 수준에서는 누구나 합화의 이론을 당연하게 주장하지만, 각론에 들어가서 합과 충극沖剋[•]이 엇갈리는 상황, 합이 두 개 세 개 겹치는 상황이 되면 합화의 작용을 논리적으로 설명하지 못한다. 합화를 적극적으로 사주 해석에 활용하는 분들도 합화의 결과가 아주 제한된 상황에서만 발생한다고 보고 있는데, 제한된 상황에서만 적용할 수 있는 이론은 실용적인 가치가 없다.

• '충'은 이질적인 두 기운이 부딪쳐 활성화되는 것, 변동성이 커지는 것을 의미한다. 여기서 '이질적'이라는 표현은 음양이 다른 경우를 말하는 것이 아니라 오행이 서로 멀리 떨어진 경우를 말한다. 목이라면 토나 금이 이질적인 예다. 한편 극은 한 기운이 다른 기운을 제어해 완전히 무력하게 만드는 것을 의미한다. 음양이 같은 기운의 극을 진정한 의미의 극이라 할 수 있다. 십신으로는 편관의 힘이 극이다. 충이나 극 모두 이질적인 기운끼리의 관계를 의미하기에 충과 극을 통틀어 충극이라 부르기도 한다.

사주원국 안에서 일간과의 합

일간이 포함된 합은 융합의 의미보다 집착의 의미가 강하다. 왜냐하면 일간은 사주의 주체가 되는 자리이기 때문이다. 일간은 함부로 섞이거나 자신을 변화시키지 않는다. 다만 일간과 시간, 일간과 월간 사이에서 합이 이루어지고 있다면, 일간은 왼쪽이나 오른쪽에 놓인 천간을 강렬하게 원한다. 합은 근원적인 작용이자 떼려야 뗄 수 없는 욕망이므로, 일간은 합의 대상이 되는 천간에 집착하게 된다. 일간이 갑목이고 월간이나 시간에 기토가 있다면, 이 사주는 정재의 특성이 아주 강하게 드러난다. 일간이 을목이고, 월간이나 시간에 경금이 있다면 이 사주는 정관의 특성이 아주 강하게 드러난다. 길흉과는 관련 없이 무의식적으로 합을 하는 대상에게 강하게 집착하는 것이 바로

일간과 합을 하는 사주

	시주	일주	월주	연주
천간	정재 己 기토	일간 甲 갑목		
지지				

정재를 강하게 열망하는 일간.
정재의 특성이 극명하게 드러난다.

	시주	일주	월주	연주
천간		일간 乙 을목	정관 庚 경금	
지지				

정관을 강하게 열망하는 일간.
정관이 특성이 극명하게 드러난다.

일간과 일간 주변 간지의 합의 작용이다.

사주원국 안에서 일간을 제외한 합

사주원국에서 일간을 제외한 합은 월간과 연간 사이에서만 이루어진다. 이 경우 일간을 제외한 합이므로, 직접적인 심리 작용은 드러나지 않는다. 다만, 월간과 연간의 천간이 서로 융합되는 결과가 초래된다. 갑목과 기토가 월간과 연간에 놓여 있는 경우, 갑목과 기토가 합을 하여, 갑목의 십신과 기토의 십신이 서로 섞여서 하나가 된다. 오행으로 보면 목 기운과 토 기운이 똘똘 뭉치는 것이고, 그 오행이 가진 사회적인 역량(십신)이 섞여서 원만하게 상호 작용을 한다고도 볼 수 있다.

일간을 제외한 곳에서의 합의 예시

	시주	일주	월주	연주
천간			甲 갑목	己 기토
지지				

갑목과 기토의 작용이 서로 융합한다.

사주원국과 운 사이의 합

10년 단위의 대운• 이든, 1년 단위의 세운이든 운은 역동적이다. 사주원국은 초기에 부여된 정체되고 본질적인 기운인 반면, 운은 유동적으로 흘러가는 기운이기 때문이다. 운 자체가 변화의 의미를 지니고 있으므로, 운은 그 자체로 아주 강렬하고 적극적인 힘을 가지고 있다. 사주원국의 시간, 월간, 연간의 경우 운으로 들어오는 천간과 합을 한다고 할 때, 기능의 융합이 일어난다.

• 대운은 10년 단위로 바뀌며 사주원국에 영향을 미치는 기운이다. 대운은 각각의 사주원국이 빚어내는 고유한 리듬을 의미한다. 세운은 1년 단위의 운을 말한다. 2023년 계묘년의 경우 계묘라는 기운이 사주원국에 영향을 미치며, 2024년 갑진년의 경우 갑진이라는 기운이 사주원국에 영향을 미친다.

아래 예처럼 월간에 신금 정인이 있고, 운으로 병화 편재가 들어오는 사주에서는 정인의 기능과 편재의 기운이 융합하여 자신이 쌓아 온 인문학적 통찰력을 경제 분야에서 풀어낼 수 있음을 암시한다.

운으로 합이 이루어질 때 일어나는 기능의 융합 예시

운과 사주원국 사이에서 합이 이루어지는 경우 가장 눈여겨봐야 할 것은 일간과 운의 합이다. 일간이 운으로 들어오는 기운과 합을 하는 경우 그 기운에 강한 영향을 받아 일간은 심리적으로 큰 변동을 겪는다. 결국 일간과 합을 하는 운은 정재나 정관의 운인데, 모든 기운은 근원적으로 반대 방향을 갈망하기에 심리적인 천착이 크게 드러나는 것이다. 심리적인 천착이 크게 드러난다는 것은 길흉과 상관없이 그러한 행동을 해야 마음이 편하다는 의미이다. 정리하면 정재, 정관 운이 들어서면, 심리적으로 정재와 정관을 추구하는 성향이 강해진다.

일간과 운이 합을 이룰 때 일어나는 심리적인 천착

다양한 경우의 합

만약 사주원국 안에서 1 : 2(갑목 : 기토 기토) 혹은 1 : 3(갑목 : 기토 기토 기토)으로 합의 관계를 형성했다면, 집착하는 힘은 훨씬 강해지고, 십신이나 오행이 융합하는 힘은 약해진다.

사주원국에서 이미 합이 이루어지고 있는데, 운으로 같은 기운이 들어와 1 : 2, 1 : 3의 관계가 형성되는 경우, 이미 사주원국을 통해 합의 의미가 발현되고 있으므로 큰 영향을 미치지 않는다.

다만 천간 바로 옆에 그 천간을 극하는 천간이 놓여 있다면 합이 제대로 이루어지지 않는다. 천간의 극은 합보다 훨씬 더 근원적이고 강한 힘이기 때문이다. 예를 들어 월간에 놓인 기운과 일간이 합을 하고 있고 연간이 월간을 극하고 있는 경우, 연간의 극으로 상처받은 월간을 일간이 사랑하고 있는 형국이므로 이 사랑은 불완전한 것이고, 공을 많이 들이지만 성과는 없는 소모적인 집착으로 해석할 수 있다.

대운과 세운 즉 운끼리 합이 되는 경우[•] 그 합의 힘은 훨씬 강렬하다. 변동성이 강한 기운끼리 나누는 사랑이기 때문이다. 하지만 한순간 불타오르는 사랑이기 때문에, 이 시기에는 긍정이든 부정이든 운의 작용이 드라마틱하게 드러나지는 않는다. 앞서 말했듯이 운끼리 사랑에 빠진 형국이라 사주원국에는 큰 영향을 끼치지 못해 사주원국의 입장에서는 쉬어 가는 시기가 된다.

모든 오행의 관계는 생과 극으로 이루어져 있다. 극을 음양의 관계로 나눈 것이 바로 합과 극의 이치이다. 음양이 같다면

운끼리 합이 되는 경우

대운과 세운이 합을 이룰 경우 대운의 힘과 세운의 힘 모두 사주원국에 미치는 영향력이 떨어진다.

• 대운과 세운은 늘 함께 온다. 합이 된다는 것은 두 개의 기운이 꼭 붙는 것을 뜻하니, 대운이 세운을 품을 수도 있고 세운이 대운을 품을 수도 있다.

진짜 극이 이루어지고, 음양이 다르다면 합으로 파악할 수 있는 것이다.

그렇다면 생도 같은 방식으로 이해할 수 있을까? 생도 음양이 다른 생과 같은 생으로 구분할 수 있다. 극의 경우 음양이 다른 경우에 극의 작용이 판이하게 드러나지만, 생의 경우 음양이 다르더라도 작용의 변화가 적다. 생의 경우 음양이 다르면 좀 더 안정적으로 생의 과정이 이루어지고, 음양이 같다면 불안정하게 생의 과정이 이루어진다. 십신의 관점으로 보면 정인이 편인보다 좀 더 안정적으로 생의 작용이 가능한 것이다. 음양이 같은 생의 작용을 진생眞生, 음양이 다른 생의 작용을 가생假生이라고 부를 수 있지만, 생의 경우 음양이 같든 다르든 작용의 차이가 크지 않으므로 굳이 따로 구분할 필요는 없다.

지장간과 지지

지지와 지지의 관계를 다루는 사주의 이론은 다양한데, 그 모든 관계를 꿰뚫는 법칙은 천간과 다르지 않다. 천간이 모여서 이룩된 것이 지지이기 때문이다. 지지는 천간의 다른 모습에 지나지 않으므로 천간의 관계에서 파악한 합과 극의 원칙을 지지에 적용하면 지지 간의 상호 작용을 파악할 수 있다. 지지 간의 관계를 정확히 파악하려면 먼저 지장간•을 자세히 살펴야 한다. 지장간은 다음과 같은 방식으로 이해할 수 있다.

• 지지에는 다양한 요소가 모여 있는데, 이 다양한 요소를 통칭하는 용어가 지장간地藏干이다. 지지[地]에 천간[干]의 기운이 들어 있다[藏]는 의미다. '자수의 지장간은 임수와 계수이다', '술토의 지장간은 신금, 정화, 무토이다'는 방식으로 표현한다.

자수 : 임수, 계수[•]

겨울의 중심 지지인 자수는 임수와 계수로 이루어져 있지만 실질적으로 계수의 힘이 절대적인 영향을 미친다. 따라서 자수는 계수, 즉 음수의 작용이 확연히 드러나는 지지이다.

고전 명리학 이론에서는 자수, 해수, 사화, 오화의 음양을 자수는 양수, 해수는 음수, 사화는 음화, 오화는 양화로 판단했다.[••] 하지만 이는 천간의 양음 순서를 그대로 지지에 대입한 까닭에 발생한 오류이다. 아직까지도 이 오류를 바로잡지 않고 '천간의 음양이 지지에 와서 그 쓰임(체용 體用[•••])이 바뀌었다'고 이해하고 있는 것이다. 그런데 왜 체용이 바뀌는지, 왜 수와 화에서만 체용이 바뀌어야 하는지에 대한 타당한 설명은 제시하고 있지 않다. 체용이 바뀌었다는 근거가 오히려 명리학을 어렵고 추상적으로 만든다. 오류는 오류로 봐야 하고, 송대 이후 등장한 지장간 이론이 제대로 지지를 이해한 것으로 판단해야 한다.

• 지장간은 초기·중기·정기로 이루어져 있는데, 이 중 정기를 초록색으로 강조했다.

•• 1권 4장 〈지지, 땅에서 이루는 조화〉 편에 나오듯이 자수는 음수, 해수는 양수, 사화는 양화, 오화는 음화에 해당한다.

••• 하나의 기운의 본질[체體]과 실제 쓰임[용用]이 다름을 드러내기 위해 '체용이 다르다'는 용어를 사용한다. 하지만 체용이 다른 것이 간지 자체의 성격이라면 체용 이론은 모든 상황에 두루 적용될 수 있어야 한다. 특정한 상황을 설명하기 위해 동원된 특별한 이론들로 인해 명리학은 점차 본질과 멀어진다.

자수의 지장간

자수(한겨울)			
	초기	중기	정기
子 자수	壬 임수		癸 계수
	겨울의 기운		겨울의 기운
실제 작용하는 힘의 비율	0퍼센트		100퍼센트

축토 : 계수, 신금, 기토

겨울을 마무리하는 지지인 축토는 계수, 신금, 기토로 이루어져 있다. 기토가 계수와 신금을 품고 있는 형국이다. 축토는 계절로는 겨울에 해당하는 토인데, 신금과 계수를 품고 있다는 것은 어떤 의미인가? 오행을 중재하는 토가 신금에 해당하는 가을의 기운, 계수에 해당하는 겨울의 기운을 안고 있다는 것이다. 즉 이전 계절인 가을, 즉 과거의 기억을 보듬고 잘 저장하는 것, 그리고 현재의 계절인 겨울의 기운을 품는 것이 축토의 역할임을 확인할 수 있다. 축토 안에 들어 있는 계수, 신금, 기토의 비중을 날짜로 구분하여 계산하기도 하지만, 실제로는 기토가 50퍼센트 이상의 비중을 차지하고, 신금과 계수의 비중은 거의 동일하다. 계절을 마무리하는 오행 토의 지지인 축토, 진토, 미토, 술토를 일컬어 고지庫地라 부른다. 고지는 거두어 저장하는 창고에 해당하는 지지라는 뜻인데, 계절을 닫는 의미, 기운을

지장간의 초기 · 중기 · 정기

1권에서 다룬 지지의 지장간 비율은 각 지장간이 차지하는 날짜를 환산한 것이다. 예를 들어 진토의 경우 지장간이 을목, 계수, 무토로 구성되어 있는데, 진월의 30일 중 을목이 9일, 계수가 다음 3일, 무토가 다음 18일을 차지한다. 이에 따라 을목의 비율은 30퍼센트, 계수의 비율은 10퍼센트, 무토의 비율은 60퍼센트가 된 것이다. 지장간 중 처음에 작용하는 을목을 초기(또는 여기), 중간에 작용하는 계수를 중기, 마지막에 작용하는 무토를 정기(또는 본기)라고 부른다. 지지의 오행은 지장간 중 정기의 오행을 따른다.

지장간의 초기(여기), 중기, 정기(본기)와 날짜는 다음과 같다.

	자	축	인	묘	진	사	오	미	신	유	술	해
초기	임수 10	계수 9	무토 7	갑목 10	을목 9	무토 7	병화 10	정화 9	무토 7	경금 10	신금 9	무토 7
중기		신금 3	병화 7		계수 3	경금 7	기토 9	을목 3	임수 7		정화 3	갑목 7
정기	계수 20	기토 18	갑목 16	을목 20	무토 18	병화 16	정화 11	기토 18	경금 16	신금 20	무토 18	임수 16

창고에 잘 저장하는 의미를 드러내기 위해 고지라는 별칭으로 부른다.

축토의 지장간

축토(겨울의 끝)			
	초기	중기	정기
丑 축토	癸 계수	辛 신금	己 기토
	겨울의 기운	가을의 기운	저장·중재의 기운
실제 작용하는 힘의 비율	20퍼센트	30퍼센트	50퍼센트

인목 : 무토, 병화, 갑목

봄을 여는 지지인 인목은 무토, 병화, 갑목으로 이루어져 있다. 계절을 여는 지지들은 모두 지장간의 초기에 무토를 가지고 있는데, 실질적으로 이 무토의 영향력은 크지 않다. 인목은 병화와 갑목의 기운이 거의 절대적인 비중을 차지한다. 봄을 여는 지지인 인목이 병화를 안고 있다는 것은 어떤 의미인가? 봄(갑목)을 열면서 여름(병화)을 지향한다는 것에 포인트가 있다. 즉 계절을 여는 지지들은 다음에 올 계절의 기운을 손에 들고 미래를 꿈꾼다. 그래서 계절을 여는 지지들은 공통적으로 강렬하게 추동하는 특성을 가지고 있다. 미래 지향적이기 때문이다.

인목의 지장간

인목(봄의 시작)			
	초기	중기	정기
寅 인목	戊 무토	丙 병화	甲 갑목
		여름의 기운	봄의 기운
실제 작용하는 힘의 비율	0퍼센트	30퍼센트	70퍼센트

묘목 : 갑목, 을목

봄의 중심 지지인 묘목은 갑목과 을목으로 이루어져 있지만 실질적으로 을목의 힘이 절대적인 영향을 미친다. 따라서 묘목은 을목, 즉 음목의 작용이 확연히 드러나는 지지이다.

묘목의 지장간

묘목(완연한 봄)			
	초기	중기	정기
卯 묘목	甲 갑목		乙 을목
	봄의 기운		봄의 기운
실제 작용하는 힘의 비율	0퍼센트		100퍼센트

진토 : 을목, 계수, 무토

봄을 마무리하는 지지인 진토는 을목, 계수, 무토로 이루어져 있다. 무토가 을목과 계수를 품고 있는 형국이다. 진토는 계절로는 봄에 해당하는 토인데, 을목과 계수를 품고 있다는 것은 어떤 의미인가? 오행을 중재하는 토가 계수에 해당하는 겨울의 기운, 을목에 해당하는 봄의 기운을 안고 있다는 것이다. 즉 이전 계절인 겨울, 즉 과거의 기억을 보듬고 잘 저장하는 것, 그리고 현재의 계절인 봄의 기운을 품는 것이 진토의 역할임을 확인할 수 있다. 진토를 일컬어 습토라고 하는데, 이는 진토 안에 들어 있는 계수의 비중이 아주 큼을 암시한다. 을목, 계수, 무토의 날짜별 비율이 실제로는 그대로 드러나지 않음을 말해 주는 증거이다. 만약 날짜별 비율이 유지되었다면 진토 안에는 목의 비중이 크므로 진토를 목토라고 불러야 옳지 않을까? 하지만 진토는 무토의 비율이 50퍼센트 이상이고, 을목과 계수가 나머지를 나누어 가지고 있다.

진토의 지장간

진토(봄의 끝)			
	초기	중기	정기
辰 진토	乙 을목	癸 계수	戊 무토
	봄의 기운	겨울의 기운	저장 · 중재의 기운
실제 작용하는 힘의 비율	20퍼센트	30퍼센트	50퍼센트

사화 : 무토, 경금, 병화

여름을 여는 지지인 사화는 무토, 경금, 병화로 이루어져 있다. 사화 역시 계절을 여는 지지이므로 실질적으로 사화 안의 무토의 영향력은 크지 않다. 따라서 사화는 경금과 병화의 기운이 거의 절대적인 비중을 차지한다. 여름을 여는 지지인 사화가 경금을 안고 있다는 것은 어떤 의미인가? 여름(병화)을 열면서 가을(경금)을 지향한다는 것에 포인트가 있다. 즉 사화 역시 다음에 올 계절의 기운을 손에 들고 미래를 꿈꾼다. 사화는 계절을 여는 다른 기운들과 다르게 추동하는 성격이 더 명확히 드러나는데, 그 이유는 미래를 예비하는 기운인 경금을 병화가 극하기 때문이다. 미래의 가능성마저 극하면서 자신의 위용을 뽐내는 것이 사화이다.

사화의 지장간

사화(여름의 시작)			
	초기	중기	정기
巳 사화	戊 무토	庚 경금	丙 병화
		가을의 기운	여름의 기운
실제 작용하는 힘의 비율	0퍼센트	30퍼센트	70퍼센트

오화 : 병화, 기토, 정화

여름의 중심 지지인 오화는 병화와 기토, 정화로 이루어져 있지만, 실질적으로는 정화의 힘이 절대적인 영향을 미친다. 다른 계절의 중심 지지들은 해당 계절의 오행만으로 이루어진 반면, 오화는 가운데에 기토를 끼고 있다. 이 기토의 작용을 해석하는 여러 가지 방법론이 있지만 실제로 오화 안의 기토는 목소리를 내기가 어렵다. 따라서 오화는 정화, 즉 음화의 작용이 확연히 드러나는 지지이다.

오화의 지장간

오화(한여름)			
	초기	중기	정기
午 오화	丙 병화	己 기토	丁 정화
	여름의 기운	중재	여름의 기운
실제 작용하는 힘의 비율	0퍼센트	0퍼센트	100퍼센트

미토 : 정화, 을목, 기토

여름을 마무리하는 지지인 미토는 정화, 을목, 기토로 이루어져 있다. 기토가 정화와 을목을 품고 있는 형국이다. 미토는 계절로는 여름에 해당하는 토인데, 정화와 을목을 품고 있다는 것은 어떤 의미인가? 오행을 중재하는 토가 을목에 해당하는 봄의 기운, 정화에 해당하는 여름의 기운을 안고 있다는 것이다. 즉 이전 계절인 봄, 즉 과거의 기억을 보듬고 잘 저장하는 것, 그리고 현재의 계절인 여름의 기운을 품는 것이 미토의 역할임을 확인할 수 있다. 실제로는 기토의 비율이 50퍼센트 이상이며, 정화와 을목이 나머지를 나누어 가지고 있다. 미토는 오행 토의 다른 지지에 비해 안정성이 떨어진다고 볼 수 있는데, 그 이유는 정기인 기토를 정면으로 극하는 을목 때문이다. 품에 안고 있는 오행에 의해 정기가 도전을 받는 상황이니 '내면 갈등'을 뜻한다.

미토의 지장간

미토(여름의 끝)			
	초기	중기	정기
未 미토	丁 정화	乙 을목	己 기토
	여름의 기운	봄의 기운	저장 · 중재의 기운
실제 작용하는 힘의 비율	20퍼센트	30퍼센트	50퍼센트

신금 : 무토, 임수, 경금

가을을 여는 지지인 신금은 무토, 임수, 경금으로 이루어져 있다. 신금 안의 무토는 여기서도 영향력이 크지 않다. 따라서 신금은 임수와 경금의 기운이 거의 절대적인 비중을 차지한다. 가을을 여는 지지인 신금이 임수를 안고 있다는 것은 어떤 의미인가? 가을(경금)을 열면서 겨울(임수)을 지향한다는 것에 포인트가 있다. 즉 신금 역시 다음에 올 계절의 기운을 손에 들고 미래를 꿈꾼다. 인목, 사화, 신금, 그리고 이어질 해수는 계절을 여는 지지이다. 이들을 한데 엮어서 생지生地라고 부르는데, 생지의 지장간은 모두 양간으로만 구성된 것이 특기할 만하다. 생지는 생동하는 지지라는 뜻인데, 계절이 시작될 때의 역동성을 양간의 기운으로 포착한 것이다.

신금의 지장간

신금(가을의 시작)			
	초기	중기	정기
申 신금	戊 무토	壬 임수	庚 경금
		겨울의 기운	가을의 기운
실제 작용하는 힘의 비율	0퍼센트	30퍼센트	70퍼센트

유금 : 경금, 신금

가을의 중심 지지인 유금은 경금과 신금으로 이루어져 있지만 실질적으로 신금의 힘이 절대적인 영향을 미친다. 따라서 유금은 신금, 즉 음금의 작용이 확연히 드러나는 지지이다. 계절의 중심 기운인 자수, 묘목, 오화, 유금을 일컬어 왕지旺地라고 부른다. 왕旺이 왕성하다는 뜻을 품고 있는 것에서 알 수 있듯이, 계절의 중심 기운으로 단일하고 왕성한 기운을 자랑하기 때문이다. 왕지의 정기가 모두 음간이라는 점은 의미심장하다. 양간, 즉 양의 기운은 추동력이 강하고 앞에 나서기를 좋아하지만, 실제로 핵심적인 작용은 음에서 일어남을 왕지의 지장간은 증명하고 있다.

유금의 지장간

유금(완연한 가을)			
	초기	중기	정기
酉 유금	庚 경금		辛 신금
	가을의 기운		가을의 기운
실제 작용하는 힘의 비율	0퍼센트		100퍼센트

술토 : 신금, 정화, 무토

가을을 마무리하는 지지인 술토는 신금, 정화, 무토로 이루어져 있다. 무토가 신금과 정화를 품고 있는 형국이다. 술토는 계절로는 가을에 해당하는 토인데, 신금과 정화를 품고 있다는 것은 어떤 의미인가? 오행을 중재하는 토가 정화에 해당하는 여름의 기운, 신금에 해당하는 가을의 기운을 안고 있다는 것이다. 이전 계절인 여름, 즉 과거의 기억을 보듬고 잘 저장하는 것, 그리고 현재의 계절인 가을의 기운을 품는 것이 술토의 역할임을 확인할 수 있다. 실제로는 무토의 비율이 50퍼센트 이상이며, 신금과 정화가 나머지를 나누어 가지고 있다. 술토는 다른 토에 비해 특별한 토인데, 품고 있는 기운들끼리 마찰하기 때문이다. 즉, 정화가 신금을 극하는 작용이 일어난다. 간직하고 있는 여름의 기운이 현재의 계절인 가을의 기운을 극하므로 과거가 현재를 극하는 것으로 볼 수 있다. 과거로의 회귀, 현실 부정, 이상향으로의 도피 등의 의미가 여기서 발생한다.

술토의 지장간

술토(가을의 끝)			
	초기	중기	정기
戌 술토	辛 신금	← 丁 정화	戊 무토
	가을의 기운	여름의 기운	저장 · 중재의 기운
실제 작용하는 힘의 비율	20퍼센트	30퍼센트	50퍼센트

해수 : 무토, 갑목, 임수

겨울을 여는 지지인 해수는 무토, 갑목, 임수로 이루어져 있다. 해수 안에서도 무토의 영향력은 크지 않다. 따라서 해수는 갑목과 임수의 기운이 거의 절대적인 비중을 차지한다. 겨울을 여는 지지인 해수가 갑목를 안고 있다는 것은 어떤 의미인가? 겨울(임수)을 열면서 봄(갑목)을 지향한다는 것에 포인트가 있다. 해수 역시 다음에 올 계절의 기운을 손에 들고 미래를 꿈꾼다.

해수의 지장간

해수(겨울의 시작)			
	초기	중기	정기
亥 해수	戊 무토	甲 갑목	壬 임수
		봄의 기운	겨울의 기운
실제 작용하는 힘의 비율	0퍼센트	30퍼센트	70퍼센트

지장간을 정리하면, 생지에 해당하는 인목, 사화, 신금, 해수의 경우 지장간의 초기에는 무토를 안고 있지만 무토의 영향력이 실제로는 잘 드러나지 않으며, 모두 양간으로만 구성되어 있다. 중기에는 다음 계절의 기운을 안고 있다. 따라서 미래 지향적이고 추동하는 성질이 잘 드러난다. 생지를 역마살이라고 따로 부르기도 하는데 이러한 강하게 추동하는 특성에 근거한 것이다. 생지는 그만큼 이동성이 많은 기운으로 본다.

왕지에 해당하는 묘목, 오화, 유금, 자수의 경우 해당 계절의 오행으로만 이루어져 있다. 오화 안의 기토는 거의 영향력이 없는 것으로 본다. 왕지의 정기는 모두 음간으로 구성되어 있는 것이 특징이다. 그래서 왕지에서는 이 정기의 음간들의 영향력이 크게 두드러진다.

고지에 해당하는 축토, 진토, 미토, 술토의 경우 정기는 오행 토이며, 현재 계절의 기운을 초기에 두고, 중기에 이전 계절의 기운을 안고 있다. 따라서 고지는 지나간 기운의 보관, 과거로의 회귀, 중재, 안정성을 의미한다.

생지

생지	초기	중기	정기
인목	무토	병화	갑목
사화	무토	경금	병화
신금	무토	임수	경금
해수	무토	갑목	임수
공통점	무토	다음 계절의 기운	지장간이 전부 양간으로 구성돼 있다.

왕지

왕지	초기	중기	정기
묘목	갑목		을목
오화	병화	기토	정화
유금	경금		신금
자수	임수		계수
공통점			왕지의 정기는 모두 음간으로 구성돼 있다.

고지

고지	초기	중기	정기
축토	계수	신금	기토
진토	을목	계수	무토
미토	정화	을목	기토
술토	신금	정화	무토
공통점	현재 계절의 기운(음간)	이전 계절의 기운(음간)	오행 토

지지의 상호 작용

방합

방합은 각 계절에 해당하는 지지들끼리 서로 밀접하게 연결되어 있으며, 이 지지들이 뭉치면 더욱 강한 힘을 발휘한다는 이론이다. 봄을 예로 들면, 봄에 해당하는 지지는 인목, 묘목, 진토이다. 인목은 봄을 열어 주고(여름을 예비한다), 묘목은 봄의 중심 역할을 담당하며, 진토는 봄을 마무리해 준다(겨울을 보관한다). 이를 한자로 정리하면, 봄의 생지는 인목, 왕지는 묘목, 고지는 진토가 된다. 생지, 왕지, 고지가 한데 모여 봄의 기운을 완성하는 것이다. 따라서 봄에 해당하는 지지인 인목, 묘목, 진토가 사주원국에 모여 있거나, 인목과 묘목이 사주원국에 위치해 있는데 운으로 진토가 들어오는 경우 봄의 세력을 더욱 강하게 뽐낼 수 있다고 보는 것이 방합 이론이다. 1 + 1 + 1 = 3이 아니라 같은 계절의 기운들이 뭉쳤으니 3 이상, 즉 4나 5가 될 수 있다는 것이 방합의 이치이다. 모든 합과 충, 극의 기운과 마찬가지로 방합의 경우 거리가 떨어져 있다면 그 영향력이 적다. 일지와 월지, 일지와 시지에 같은 계절의 기운이 놓여 있다면 훨씬 파급력이 크고, 일지와 연지, 시지와 연지에 놓여 있다면 훨씬 파급력이 적은 것이다. 또한 인목과 묘목의 조합이 파급력이 크고, 진토와 인목, 진토와 묘목의 파급력은 적다. 고지인 진토는 중재의 역할을 담당하기 때문이다.

지지의 방합

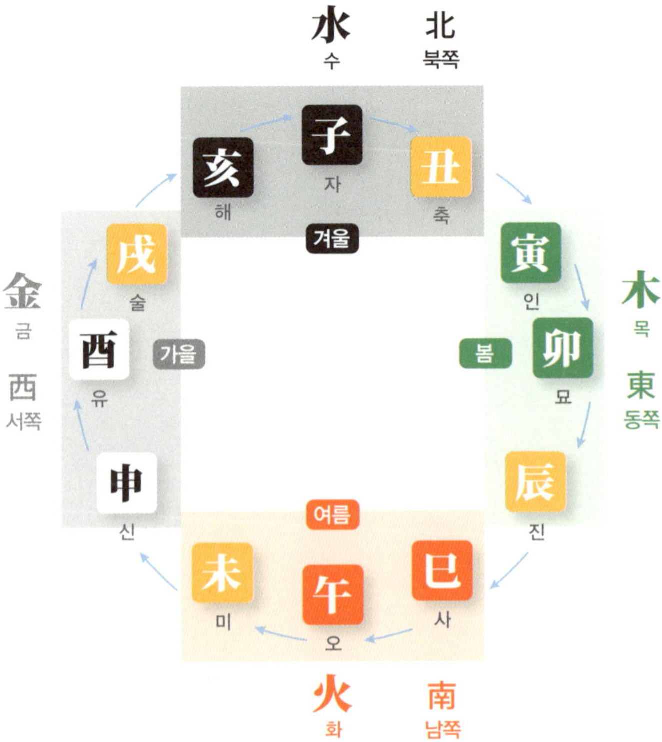

따라서 방합의 의미에 얽매이기보다는 지장간의 요소를 통해 방합을 이해하는 것이 바람직하다. 계절이라는 체계에 의존하지 않고, 오직 지장간의 작용을 통해 방합을 이해해도 충분하다. 인목, 묘목, 진토의 지장간 안에는 갑목이나 을목이 모두 포함되어 있다. 지장간에 갑목이 있는 상황에서 주변에 갑목이나 을목의 기운이 있을 때, 이 목의 기운들이 서로 연합하여 더욱 강한 힘을 발휘한다고 생각하면 간단하게 방합의 작용을 이해

방합 표 – 합화

계절 / 지장간	지지			함께 모이면 강화되는 오행
봄	인목	묘목	진토	목
지장간	무토 병화 갑목	갑목 을목	을목 계수 무토	
여름	사화	오화	미토	화
지장간	무토 경금 병화	병화 기토 정화	정화 을목 기토	
가을	신금	유금	술토	금
지장간	무토 임수 경금	경금 신금	신금 정화 무토	
겨울	해수	자수	축토	수
지장간	무토 갑목 임수	임수 계수	계수 신금 기토	

할 수 있다. 여름, 가을, 겨울의 방합도 봄과 같이 적용하면 된다.

방합의 작용은 다음과 같이 정리할 수 있다.

생지, 왕지, 고지 총합

계절	지지	의미	별명	역할
계절의 시작	인목	추동	생지	봄을 열다
계절의 중심	묘목	완성	왕지	봄이 완성되다
계절의 끝	진토	안정	고지	봄을 닫다

계절	지지	의미	별명	역할
계절의 시작	사화	추동	생지	여름을 열다
계절의 중심	오화	완성	왕지	여름이 완성되다
계절의 끝	미토	안정	고지	여름을 닫다

계절	지지	의미	별명	역할
계절의 시작	신금	추동	생지	가을을 열다
계절의 중심	유금	완성	왕지	가을이 완성되다
계절의 끝	술토	안정	고지	가을을 닫다

계절	지지	의미	별명	역할
계절의 시작	해수	추동	생지	겨울을 열다
계절의 중심	자수	완성	왕지	겨울이 완성되다
계절의 끝	축토	안정	고지	겨울을 닫다

삼합

지지 삼합三合은 기원전부터 그 흔적을 찾아볼 수 있을 정도로 역사가 오래된 이론이다. 지지는 모두 12개로 구성되어 있는데, 세 칸 건너뛴 지지끼리 서로 긴밀하게 연결되어 있다는 것이 삼합의 본질이다. 자수를 예로 들면 자수는 앞으로 세 칸 건너뛴 진토, 뒤로 세 칸 건너뛴 신금과 긴밀하게 연결되어 있다. 이런 식으로 12개의 지지가 모두 삼합으로 연결되어 다음과 같은 아름다운 그림이 나온다.

봄[木]의 삼합

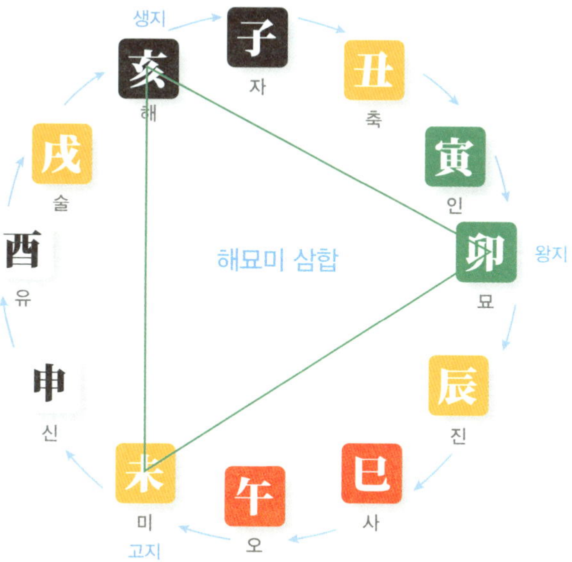

여름[火]의 삼합

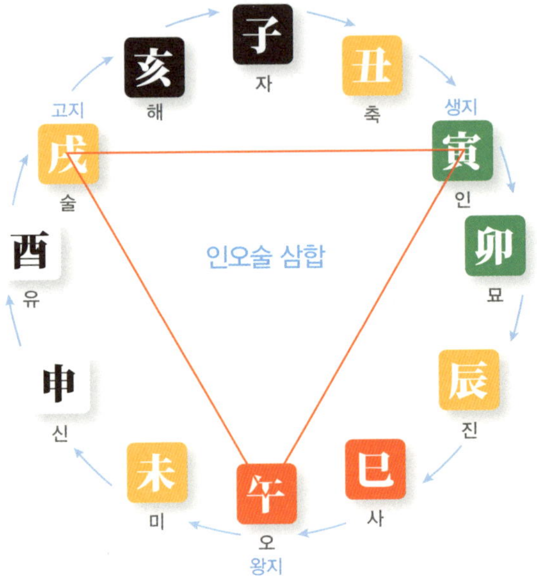

가을[金]의 삼합

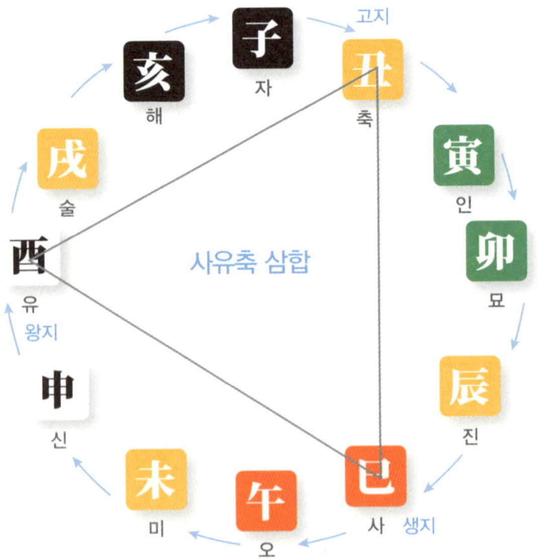

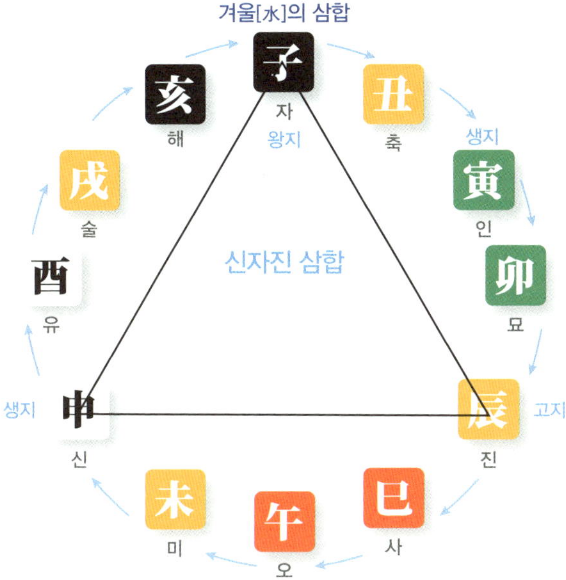
겨울[水]의 삼합
子
자
왕지
丑
축
생지
寅
인
卯
묘
辰
고지
진
巳
사
午
오
未
미
申
생지
신
酉
유
戌
술
亥
해
신자진 삼합

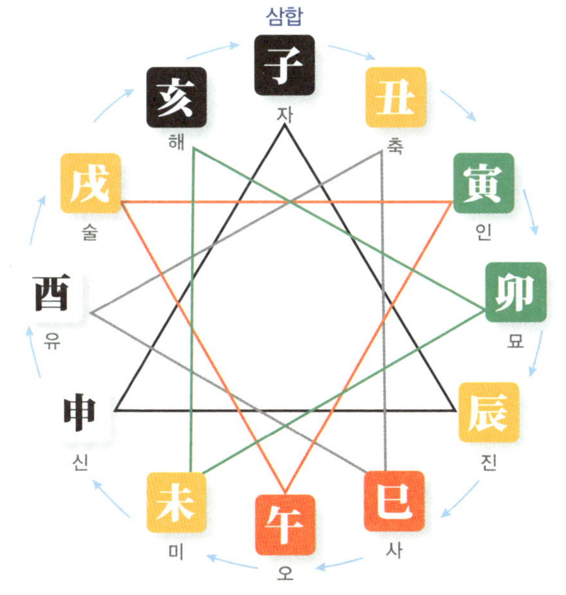
삼합
子
자
丑
축
寅
인
卯
묘
辰
진
巳
사
午
오
未
미
申
신
酉
유
戌
술
亥
해

삼합 표-합화

계절 / 지장간	지지			함께 모이면 강화되는 오행
봄	해수	묘목	미토	목
지장간	무토 갑목 임수	갑목 을목	정화 을목 기토	
여름	인목	오화	술토	화
지장간	무토 병화 갑목	병화 기토 정화	신금 정화 무토	
가을	사화	유금	축토	금
지장간	무토 경금 병화	경금 신금	계수 신금 기토	
겨울	신금	자수	진토	수
지장간	무토 임수 경금	임수 계수	을목 계수 무토	

삼합은 두 가지 방식으로 이해할 수 있다.

첫 번째는, 계절의 의미에 중점을 두는 방식이다. 겨울을 예로 들어 보면, 겨울은 그냥 존재하지 않고 이전 계절인 가을의 연장선에 있으며 봄을 예비하고 있다. 따라서 이전 계절인 가을과 겨울, 봄은 서로 긴밀하게 연결되어 있다. 가을을 열면서 겨울을 예비하는 지지인 신금, 겨울의 왕지인 자수, 봄을 마무리하면서 겨울을 보관하는 진토가 모여 진정한 겨울의 기운을 완성한다. 방합의 경우 성질이 동일한 기운끼리의 연합이기에 확고하게 고정된 의미를 지닌다. 반면 삼합은 이질적인 것들의 융합을 뜻하는데, 기본적으로 다른 계절들끼리의 합이기 때문이다.

삼합은 계절이 순환하는 이치를 잘 담아내고 있다. 신금의 경우 가을의 기운이지만, 그 안에 겨울을 예비하고 추동하는 기운인 임수를 담고 있다. 즉 신금은 계절의 순환을 촉진하는 가속도를 품고 있는 것으로 볼 수 있다. 신금에서 발현된 가속도는 자수에 와서 꽃을 피운다. 진토는 봄의 기운이지만 겨울의 기운을 갈무리하고 안정시키는 기운인 계수를 담고 있다. 즉 진토는 계절의 순환을 진정시키는 반작용을 품고 있다. 자수에 와서 꽃을 피운 겨울의 기운이 진토에 와서는 제어된다. 이런 추동과 완성, 제어의 의미를 4계절, 12개의 지지에서 모두 찾아볼 수 있다. 행성의 안정적인 등속운동의 이면에는 작용과 반작용이 함께 어우러져 있는데, 등속의 이면에 감추어진 추동과 억제의 본질을 잘 포착한 것이 지지의 삼합 이론이다.

삼합 표

계절	지지	의미	별명	역할
계절의 시작	해수	예비	생지	봄을 예비하다
계절의 중심	묘목	완성	왕지	봄이 완성되다
계절의 끝	미토	저장	고지	봄을 갈무리하다

계절	지지	의미	별명	역할
계절의 시작	인목	예비	생지	여름을 예비하다
계절의 중심	오화	완성	왕지	여름이 완성되다
계절의 끝	술토	저장	고지	여름을 갈무리하다

계절	지지	의미	별명	역할
계절의 시작	사화	예비	생지	가을을 예비하다
계절의 중심	유금	완성	왕지	가을이 완성되다
계절의 끝	축토	저장	고지	가을을 갈무리하다

계절	지지	의미	별명	역할
계절의 시작	신금	예비	생지	겨울을 예비하다
계절의 중심	자수	완성	왕지	겨울이 완성되다
계절의 끝	진토	저장	고지	겨울을 갈무리하다

계절의 관점에서 방합과 삼합을 정리하면, 인목은 봄을 여는 지지인 동시에 여름을 예비하는 기운이다. 생지는 해당 계절과 다음 계절을 모두 추동하는 성격을 가지고 있는 것이다. 묘목은 봄의 중심 지지이다. 왕지는 흔들림 없이 해당 계절을 완고하게 고수하는 것이다. 진토는 봄을 닫는 지지인 동시에 겨울을 저장하는 기운이다. 고지는 해당 계절과 이전 계절을 모두 안정시키는 성격을 가지고 있는 것이다.

방합과 삼합의 비교(계절의 관점)

계절(오행)	방합	역할	작용하는 지장간	삼합	역할	작용하는 지장간
봄(목)	인목	봄을 열다	정기	해수	봄을 예비하다	중기
	묘목	봄	정기	묘목	봄	정기
	진토	봄을 닫다	초기	미토	봄을 갈무리하다	중기
여름(화)	사화	여름을 열다	정기	인목	여름을 예비하다	중기
	오화	여름	정기	오화	여름	정기
	미토	여름을 닫다	초기	술토	여름을 갈무리하다	중기
가을(금)	신금	가을을 열다	정기	사화	가을을 예비하다	중기
	유금	가을	정기	유금	가을	정기
	술토	가을을 닫다	초기	축토	가을을 갈무리하다	중기
겨울(수)	해수	겨울을 열다	정기	신금	겨울을 예비하다	중기
	자수	겨울	정기	자수	겨울	정기
	축토	겨울을 닫다	초기	진토	겨울을 갈무리하다	중기

방합과 삼합의 비교(지지의 관점)

지지	별명	방합에서의 역할	삼합에서의 역할
인목	생지	봄을 열다	여름을 예비하다
묘목	왕지	봄	봄
진토	고지	봄을 닫다	겨울을 갈무리하다

지지	별명	방합에서의 역할	삼합에서의 역할
사화	생지	여름을 열다	가을을 예비하다
오화	왕지	여름	여름
미토	고지	여름을 닫다	봄을 갈무리하다
신금	생지	가을을 열다	겨울을 예비하다
유금	왕지	가을	가을
술토	고지	가을을 닫다	여름을 갈무리하다
해수	생지	겨울을 열다	봄을 예비하다
자수	왕지	겨울	겨울
축토	고지	겨울을 닫다	가을을 갈무리하다

삼합을 이해하는 두 번째 방식은 지장간에 중점을 두는 방식이다. 방합과 마찬가지로 삼합도 지장간으로 이해하면 훨씬 간단하고 명확하게 파악할 수 있다. 인, 오, 술을 예로 들어 살펴보자. 인목은 봄을 열면서 여름을 예비한다. 지장간에서는 정기의 갑목(봄), 중기의 병화(여름)로 표현되어 있다. 오화는 여름의 기운이다. 지장간에서는 정기의 정화(여름)로 표현되어 있다. 술토는 가을을 마무리하면서 여름을 저장한다. 지장간에서는 초기의 신금(가을)과 중기의 정화(여름)로 표현되어 있다. 즉 생, 왕, 고지의 작용을 모두 지장간의 요소로 파악할 수 있으므로 굳이 생, 왕, 고지에 중점을 두지 않고 지장간으로 지지의 작

용을 파악한다면 삼합도 쉽게 이해할 수 있다. 지장간에 지지의 본질이 담겨 있기 때문에 굳이 다른 곳으로 눈을 돌릴 필요가 없는 것이다.

지장간을 통한 삼합의 이해

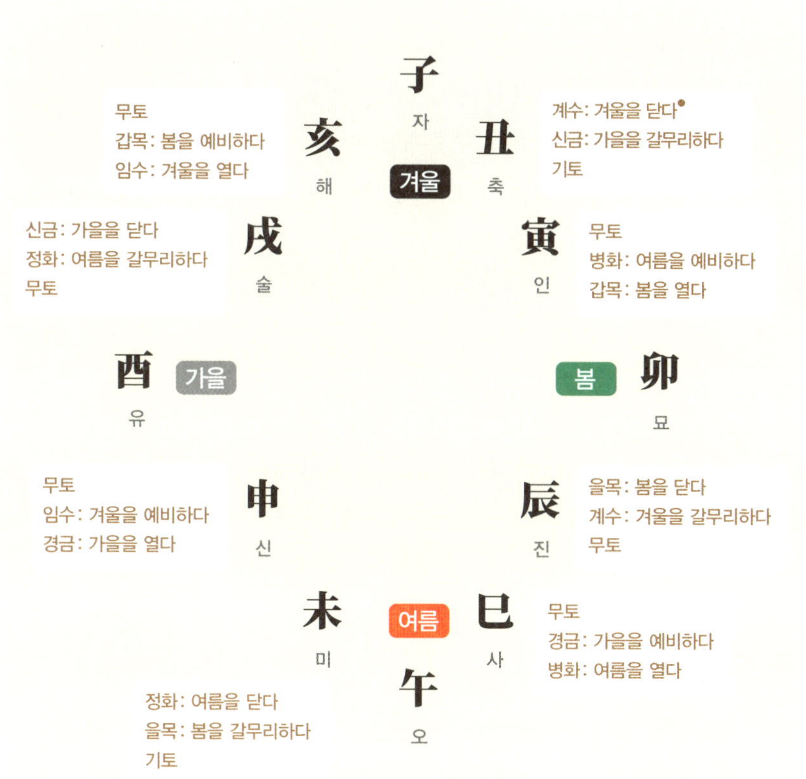

• 계수는 겨울을 의미하는 지지이고, 신금은 가을을 의미하는 지지이며, 토는 저장의 의미를 가지고 있어 위와 같이 유추한 것이다.

삼합을 적용하는 것도 지장간을 활용하면 흔들리지 않고 중심을 잡을 수 있다.

인, 오, 술 합화를 예로 들어 보면, 인, 오, 술이 만나서 화 기운을 뿜어낸다는 것이 삼합의 작용이다. 이를 사주에 적용하면, 사주원국에 인, 오, 술이 있을 때 화 기운이 더욱 증폭된다. 또한 사주원국에 인목과 술토가 있는데 운으로 오화가 들어왔을 때 화 기운이 강화된다. 이를 두고 화 기운이 새로 생겨나느냐, 화 기운이 어디에 어떻게 작용하느냐라는 질문을 던질 수 있는데, 지장간의 관점과 지장간 초기, 중기, 정기 비중의 관점에서 답을 할 수 있다. 사주원국에 인, 오, 술이 있으면 합화가 된다고 생각하는 것보다 인목 안의 병화, 오화 안의 정화, 술토 안의 정화가 서로 연합해 큰 시너지 효과를 낸다고 봐야 한다. 사주원국에서 화의 위상이 증폭된다고 이해하면 좋겠다. 사주원국에 인목과 술토가 있는데 운으로 오화가 들어오는 경우, 인목과 술토는 화 기운을 품고 있지만, 그 힘이 미약한 상황이다. 이때 오화가 운으로 들어오면 운으로 들어오는 오화의 힘에 의해 인목과 술토 안의 화 기운이 생기 있게 살아난다고 볼 수 있겠다. 강한 힘을 가진 영웅의 등장으로 숨죽이고 있던 병사들이 마침내 기운을 펼 수 있는 상황으로 비유할 수 있다. 이때는 오화의 등장으로 사주원국의 화 기운이 큰 영향력을 펼치게 된다.

정리하자면 삼합의 결과, 새롭게 마법처럼 어떤 기운이 빚어지거나 추가되는 것이 아니다. 합화의 마법은 일어나지 않는다.

지장간의 요소들이 결합해 시너지 효과를 낸다고 이해하면 되겠다.

삼합은 생지·왕지·고지 3개가 모이는 것을 의미하는데, 3개 중 2개만 모이는 것을 반합이라고 한다. 반만 모였다는 뜻이다. 반합의 경우 왕지인 자수, 묘목, 오화, 유금을 제외한 반합은 큰 의미가 없다. 생지와 고지의 만남은 삼합으로 보기 어려운 것이다.

왕지와 생지가 만나고(예 : 오화와 인목), 왕지와 고지가 만났을 때(예 : 오화와 술토) 왕지의 기운은 더욱 강한 영향력을 발휘하고, 생지나 고지는 왕지의 오행의 기운을 강하게 뿜어낸다. 예를 들어 오화와 인목이 붙어 있다면, 오화는 더욱 강한 힘을 내고, 인목은 화 기운이 아주 강한 목이 되는 것이다.

반합과 거리. 사주원국에서 반합이 일어날 경우
두 요소의 위치가 가까워야 영향력이 크다.

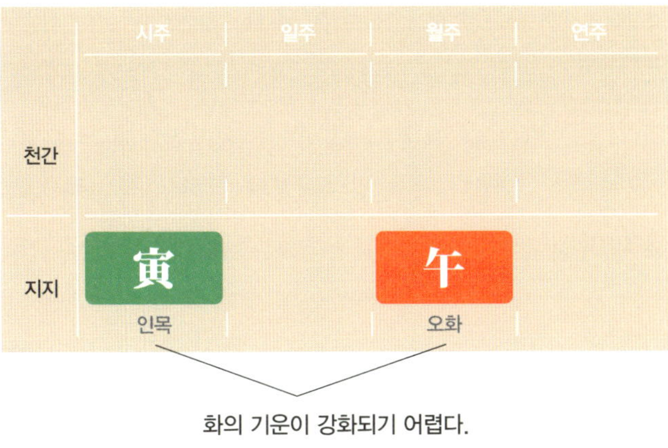

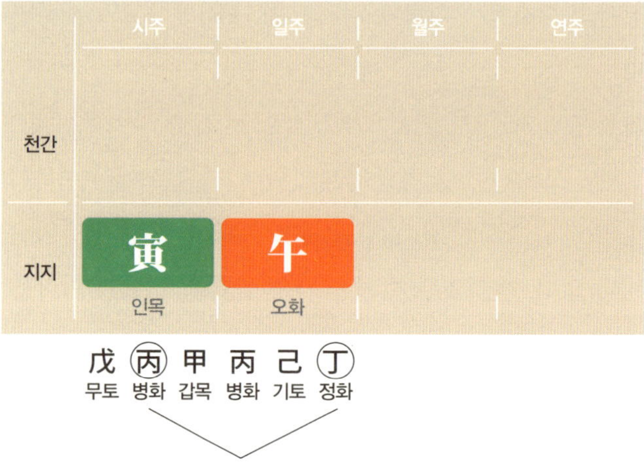

화의 기운이 강화된다.
반합 또는 지장간의 병화와 정화의 결합으로 인한 효과다.

육합

삼합이 지지 세 개의 합이라면, 육합六合은 지지 두 개의 합이다. 셋이 결합할 때는 결합하는 과정에서 긴장과 대립이 존재해 안정적이고 균형 잡힌 만남이 가능하다. 둘의 결합, 즉 1:1의 결합은 이보다 더욱 긴밀하고 단단하며 심리적으로 밀착된 의미를 가진다. 자수와 축토, 인목과 해수, 묘목과 술토, 진토와 유금, 사화와 신금, 오화와 미토가 육합으로 결합된다. 자수와 축토가 만나면 수가 되고(혹은 토가 되고), 인목과 해수가 만나면 목이 되고, 묘목과 술토가 만나면 화가 되고, 진토와 유금이 만나면 금이 되고, 사화와 신금이 만나면 수가 되고, 오

육합의 작용

	합合		화化			
子 자수	+	丑 축토	=	水 수	or	土 토
寅 인목	+	亥 해수	=	木 목		
卯 묘목	+	戌 술토	=	火 화		
辰 진토	+	酉 유금	=	金 금		
巳 사화	+	申 신금	=	水 수		
午 오화	+	未 미토	=	火 화		

화와 미토가 만나면 화가 되는 것이 보통 알려진 육합의 작용이다.

하지만 삼합과 마찬가지로 육합도 합화의 이론을 그대로 적용하는 것은 피해야 한다. 진토와 유금이 만나면 반드시 금으로 변하는 것이 아니라는 말이다. 하나의 지지를 기준으로 삼고 음양오행의 상생상극에 따라 그 관계성을 파악해야 한다.

지지		함께 모이면 강화되는 오행
자수	축토	수 or 토
임수 계수	계수 신금 기토	
인목	해수	목
무토 병화 갑목	무토 갑목 임수	
묘목	술토	화
갑목 을목	신금 정화 무토	
진토	유금	금
을목 계수 무토	경금 신금	
사화	신금	수
무토 경금 병화	무토 임수 경금	
오화	미토	화
병화 기토 정화	정화 을목 기토	

자축합(자축합수 혹은 자축합토)

자수의 입장에서 옆에 축토가 있다면(운으로 축토가 들어온다면) 어떤 결과가 펼쳐질까? 자수는 축토의 지장간 안의 계수와 신금은 같은 부류이기에 반기지만, 축토의 정기인 기토는 반갑지 않다. 기토가 자수를 극하기 때문이다. 따라서 자수는 축토를 만나면 기토 때문에 괴롭기는 하지만, 신금과 계수로 인해 근근이 버티는 상황으로 해석해야 한다.

축토의 입장에서 옆에 자수가 있다면(운으로 자수가 들어온다면) 어떨까? 축토 안에 들어 있는 계수의 힘이 크게 강화된다. 자수는 계수에게 익숙한 기운이라 계수가 자수를 안고 품어 엄청난 세력을 얻게 되는 상황이므로 축토의 정기인 기토는 토의 역할을 유지하다가 계수에게 역할을 넘기고 세력을 잃는다. 이렇듯 자수로 인해 기토의 역할이 언제든 사라질 수 있다고 해석해야 한다.

물상적으로 자축합은 살얼음이 낀 추운 땅(축토)에 비(자수)가 내린 형국이다. 전체적으로 사주원국에 토 기운이 강화되어 있다면, 넓은 땅에 비가 감질나게 내려 땅의 갈증을 해소해 주지는 못한 상황으로 본다. 반면, 사주원국에 전체적으로 수 기운이 강화되어 있다면 비가 내리면서 호수가 형성되는 상황으로 본다. 즉 자수와 축토의 만남은 사주원국의 전체 형세에 비추어 토가 많다면 자축합토, 수가 많다면 자축합수의 결과로 빚어지는 것이다. 따라서 공식에 대입하듯이 무조건 합이 되어 자수가 토로 변한다, 축토가 수로 변한다고 볼 것이 아니다. 사주원국의 전체 상황을 고려하는 것이 중요하다. 육합을 살필 때도 지장간의 요소와 오행의 비중을 잘 고려하고, 극의 관계를 고려하여 위축되는 오행을 살펴본다면 유연하게 사주를 해석할 수 있다.

자축합의 두 얼굴

수 기운의 강화
사주 전체적으로 금이나 수의 기운이 강하다면 수 기운이 세진다.

수 기운의 위축
사주 전체적으로 화나 토 기운이 강하다면 수 기운이 위축된다.

인해합(인해합목)

인목의 입장에서 옆에 해수가 있다면(운으로 해수가 들어온다면) 어떤 결과가 펼쳐질까? 인목과 해수 모두 생지에 해당하는 지지이다. 인목은 봄을 틔우고, 해수는 겨울을 틔운다. 둘의 만남이 목을 만들어 낸다는 것은 어떤 의미일까? 인목은 병화를 품에 안고 꿈을 꾸는 갑목이다. 인목이 해수를 만났다는 것은 이중적인 의미를 지닌다. 하나는, 해수의 정기 임수로 인해 갑목이 안정되어 조바심이 사라진다는 의미다. 즉 갑목의 위상이 강화되는 것이다. 또한 해수의 중기 갑목으로 인해 갑목이 더욱 튼튼해진다. 다른 하나는, 해수의 정기 임수는 갑목을 생하는 작용을 하지만 더욱 극렬한 작용을 한다는 점도 간과해서는 안 된다는 의미다. 바로 임수가 인목의 병화를 극한다는 것이다. 해수 안의 임수로 인해 인목 안의 병화는 완전히 기세를 잃는다.

인목 안의 갑목의 힘이 강화되고, 병화의 힘이 위축된다는 것은 어떤 의미일까? 인목은 여름이라는 꿈을 꾸지 않고 봄의 기세만을 자랑하게 된다. 거세당한 인목으로도 볼 수 있고, 봄에 집중하는 인목으로도 볼 수 있겠다. 해수가 등장하면 인목은 큰 변화를 겪지 않는다고 볼 수 있지만, 만약 화 기운이 소중한 사주라면 주의해야겠다. 인목 안의 병화가 소멸되기 때문이다.

해수는 갑목을 안고 꿈을 꾸는 임수이다. 해수의 입장에서 인목의 등장은 꿈을 이룬다는 의미가 있다. 인목의 정기가 갑목이기 때문이다. 봄을 꿈꾸고 있는데 눈앞에 갑목이라는 봄이 등장했으니 해수 안의 갑목은 천군만마를 얻은 듯 위용을 떨친다. 해수의 정기 임수도 수생목으로 기운을 풀어낼 수 있으니 싫어할 이유가 없다. 따라서 해수는 과감하게 인목의 방향성인 목 기운으로 흘러간다.

인목과 해수의 합인 인해합, 그리고 그 결과인 인해합목은 오행의 상생 과정이 극명하게 일어나는 결과로 이해할 수 있고, 목 기운이 강화되는 결과를 가져온다.

묘술합(묘술합화)

자축합과 인해합의 경우는 지장간의 작용을 통해 쉽게 육합의 과정과 결과를 이해할 수 있다. 반면 묘목과 술토의 합인 묘술합, 그 결과인 묘술합화는 오행의 상생상극으로 이해하기에는 무리가 따른다.

육합을 이해하기 위해 지지를 원의 둘레에 오행의 방위대로 배치하고 수평선을 그어서 같은 수평선(지구의 관점으로는 위도) 상에 놓인 지지끼리 합을 해야 한다는 견해도 있지만 우리는 사주 이론을 설명하기 위해 다양한 이론을 끌어오는 것을 경계해야 한다. 얼핏 그럴싸해 보이지만, 다양한 이론이 동원될수록 논리의 일관성을 잃는다. 사주의 A 이론은 주역에 기반하고, B 이론은 지구의 위도에 기반하고, C 이론은 물상(심지어는 동물)의 특성에 기반한다고 설명하는 것은 상대를 설득하기 위해 끊임없이 다양한 변명을 늘어놓는 것에 불과하다. 이러한 설명 방식은 당장에는 합리적인 것처럼 보이지만 반드시 자기모순에 빠진다. 사주 이론은 무조건 맞다는 결론을 내려 놓고, 자신의 상식을 총동원하여 결론을 증명해 내며 자아도취에 빠지고 있지는 않은지 우리는 항상 점검해야 한다. 오행의 상생상극, 음과 양의 관계, 오행의 균형과 조화, 천간과 지지(지장간)가 사주명리의 가장 단순하고도 주요한 도구이다. 기본 원칙에서 벗어난 이론을 섣불리 변호하려다가 스스로 방향을 잃을 수 있다. 기본 원칙의 의미를 잘 이해하고 활용했을 때 비로소 인간을 이해하고, 미래를 가늠해 볼 수 있는 것이다.

묘술합을 논리적으로 설명할 수 있는 유일한 방법은 술토의 지장간의 정화에 주목하는 것이다. 술토는 지지의 토 중에서 지장간의 중기가 초기를 극하는 유일한 토이다. 이전 계절의 기운(여름)이 현재 계절의 기운(가을)을 극하므로 이전 계절에 포인트가 맞추어지는 특이한 지지이다. 원래 술토 안의 신금이 제 기능을 제대로 발휘했다면, 묘목은 술토와 어울리기 어려웠을 것이다. 술토 안의 신금이 묘목의 정기 을목을 제어하기 때문이다. 하지만 술토 안의 정화가 신금을 제어하고 있으므로 묘목은 반갑게 술토 안의 정화를 키울 수 있다. 술토 안의 정화의 입장에서도 묘목의 목 기운을 통해 스스로를 왕성하게 키울 수 있으니 마다할 이유가 없다. 따라서 묘목과 술토가 만나면 화 기운, 즉 정화가 더 강화된다.

정리하면 묘목과 술토의 만남이 술토 안의 정화를 키우므로 화 기운이 생성되고, 이 때문에 둘의 결합이 의미 있다고 볼 수 있다. 그러므로 묘술합을 기계적으로 묘술합화라고 암기하여 적용하는 것은 옳지 않다. 사주원국에 전체적으로 화의 세력이 강할 때 묘목이 운으로 들어온다면, 이 묘목은 화 기운을 강화할 것이다. 묘술합화 때문이 아니라 목생화에 의해서다. 반면 사주원국에 묘목이 놓여 있고 술토가 운으로 들어온다면 이 술토가 곧바로 화로 작용하기는 어렵다. 술토의 정기가 토이기 때문이다. 토가 강화되는 것이지 화가 강화되는 것이 아니다. 사주원국에 묘목과 술토가 붙어 있다면, 술토 안의 화 기운이 묘목에 의해 강화된다고 볼 수 있겠다.

묘술합의 조화가 성립될 수 있는 근본적인 이유는 사실 묘목의 정기 을목과 술토의 정기 무토의 음양이 다르기 때문이다. 음양이 같았다면 목극토의 작용이 적극적으로 일어나 두 개의 기운이 연합하기는 어렵다. 음양이 다르기에 무토가 자연스럽게 을목을 받아들일 수 있었던 것이다.

묘술합

술토의 지장간 안에서 정화가 신금을 제어하여 신금의 기운을 축소한다.

을목이 기꺼이 정화를 생해 주는 작용을 하므로 정화의 기운이 더욱 왕성해진다.

진유합(진유합금)

진토와 유금의 합인 진유합, 그 결과인 진유합금은 역시 오행의 상생상극으로 이해하기는 무리가 따른다. 토와 금이 만나서 금이 발생하며, 토가 금이 된다는 것이 이치에 맞지 않기 때문이다. 역시 지장간을 통해 진유합금의 작용을 확인해 보자. 진토에는 을목·계수·무토가 공존하고 있고, 유금은 신금의 힘이 강하다. 진토와 유금이 만나면, 신금이 을목을 극하게 되어 진토 안에는 계수와 무토의 힘이 남는다. 진토는 목토(봄의 토)와 습토(겨울의 토)의 성질을 동시에 가지고 있는데 유금의 등장으로 인해 목토의 성질을 버리고 습토의 기능만을 하게 된다. 유금 안의 신금이 을목을 극하는 제 역할을 다한 결과 유금은 습토의 생을 안정적으로 받게 된다. 따라서 유금과 진토가 결합한 결과 금 기운이 강화되는 것이다. 이 경우 진토가 금으로 변했다고 볼 수는 없고, 유금이 진토 옆에 놓이면 크게 안정되고 자기 힘을 펴는 것으로 볼 수 있다. 역시 진유합, 진유합금을 기계적으로 외워서 적용해서는 안 되며 사주원국의 상황을 따져 봐야 한다.

사주원국에 유금이 있고, 운으로 진토가 들어오는 경우, 사주원국의 유금이 강하게 금의 작용을 할 수 있다. 진토가 유금을 안정적으로 도와주기 때문이다. 운으로 들어오는 진토가 난데없이 금 기운으로 변한다고 보기는 어렵다. 사주원국에 진토가 있고, 운으로 유금이 들어온 경우도 마찬가지다. 운으로 들어온 유금은 더욱 자신의 금 기운을 빛낼 것이다. 즉 운의 작용이 강

진유합

신금이 을목을 극하여
무토를 편안하게 만든다.

무토는 안정적으로
신금을 생해 준다.

화되는 것이다. 당연하게도 사주원국에 화 기운이나 목 기운이 강하다면 진토와 유금의 아름다운 랑데부는 무산될 것이다.

사신합(사신합수)

사화와 신금의 합인 사신합, 그 결과인 사신합수 역시 오행의 상생상극으로 이해하기는 무리가 따른다. 특히 사신합수의 경우, 화와 금의 만남이 수를 빚어내는 것이니 얼마나 차원을 건너뛰는 이론인가. 역시 지장간의 작용을 통해 사화와 신금의 기막힌 만남을 이해해 보자. 사화는 독특한 지지이다. 생지인 인목, 사화, 신금, 해수는 모두 지장간의 중기에 미래, 즉 다음 계절에 해당하는 기운을 품고 있다. 인목, 신금, 해수는 모두 정기가 중기를 생하고 있는데, 사화만 정기가 중기를 극하고 있다. 중기인 경금의 입장에서는 정기에게 극을 당하고 있으니 중기의 위상을 뽐낼 여력이 없다. 불편한 자리에 괜히 앉아 있는 꼴이다. 이런 상황에서 신금이 등장하면 사화의 정기 병화는 신금의 정기 경금을 극하기 위해 적극 나선다. 그런데 여기서 반전이 일어난다. 신금의 정기 경금이 사화의 중기 경금을 도와서 세력을 형성하고, 신금의 중기 임수가 사화의 정기 병화를 극하는 것이다.

사화가 독특한 지지인 이유는, 인목·신금·해수는 정기가 자

사신합

경금을 극하며 기세등등해진 사화 안의 병화가 신금 안의 경금을 극하기 위해 덤벼든다.

하지만 신금 안의 임수에게 극을 당하며 전세가 역전된다.

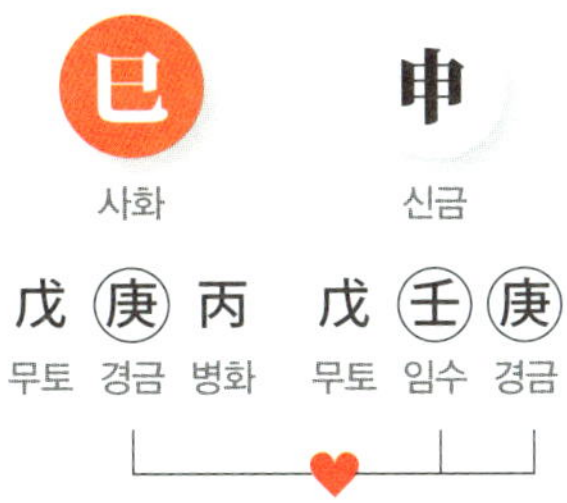

병화의 위축으로 인해 그동안 억눌려 왔던 사화 안의 경금이 힘을 회복하며 금, 수의 기운이 강화된다.

신을 극으로부터 방어할 병화(갑목을 극할 경금을 막는다), 임수(경금을 극할 병화를 막는다), 갑목(임수를 극할 무토를 막는다)을 중기에 가지고 있는 반면, 사화는 자신을 극으로부터 방어할 무기가 없다는 점 때문이다. 따라서 사화의 정기 병화는 신금 안의 임수로부터 완전히 제압당한다. 단순히 숫자로만 보면, 사화와 신금의 만남은 지장간 안에서 1 : 3, 즉 병화 vs 경금·경금·임수의 형국이 형성된다. 사화의 정기 병화는 금, 수 연합군에 일격을 당하는 것이다. 사화와 신금의 만남인 사신합은 사화가 신금을 만나 극하려고 덤벼들었다가 되레 금, 수의 기운에 된통 제압당하는 형국이다. 사화와 신금이 만나 오히려 사화 안의 병화가 위축되는 것이다. 물론 사화와 신금이 만나서 완전히 수 기운이 발동한다고 보기는 어렵다. 다만 사화가 가진 양의 에너지가 심하게 위축되어 음의 에너지로 전환된다. 또한 그간 위축되었던 사화의 중기 경금이 신금을 만나 자신의 기상을 널리 펴는 것으로 이해할 수 있다.

사주원국에 사화가 있고, 운으로 신금이 들어오는 경우 사주원국의 사화는 운으로 들어오는 신금에 의해 위축된다. 반대로 사주원국에 신금이 있고, 운으로 사화가 들어오는 경우 운으로 들어오는 사화는 그 힘이 제대로 실리지 못한다. 화 기운을 기다리는 사주의 경우, 사화가 운으로 들어오면 화 기운의 효력이 반감된다. 반면 화 기운을 꺼리는 사주의 경우, 사화가 운으로 들어오면 화 기운의 부정성이 반감된다.

오미합(오미합화)

자축합이 수와 토의 합이라서 힘의 균형을 면밀히 따져야 하는 합이었다면, 오미합은 화와 토의 합이라서 힘의 균형을 따질 필요가 없다. 당연히 오화와 미토는 서로 잘 어울린다. 둘 다 여름을 의미하는 지지이기 때문이다. 즉 같은 계절에 해당하는 지지들끼리 뭉치면 더욱 강한 힘을 발휘한다는 방합의 관점으로 설명할 수 있는 것이다. 사주원국에서 오화와 미토가 나란히 놓이면 화 기운이 증폭된다. 또한 오화가 사주원국에 있을 때 미토가 운으로 들어오면 오화와 미토 모두에게 화 기운이 더해진다. 미토가 사주원국에 있을 때도 마찬가지다. 오화가 운으로 들어오면 미토와 오화 모두에게 화 기운이 더해진다.

오미합

화 기운끼리 만나 화 기운이 증폭된다.

충

천간에는 극이 있고, 지지에는 충沖이 있다.

천간의 극은 극하는 쪽이 완전히 제압하는 것이고, 극을 받는 쪽은 완전히 제압을 당한다. 예를 들어 임수와 병화가 만나면 병화는 완전히 힘을 잃는다.

그런데 지지에서는 완전한 극의 의미가 일어나지 않는다. 지지는 하나의 순수한 기운이 아니라 다양한 기운이 섞여 있기 때문이다. 이질적인 기운들이 부딪쳐서 완전히 깨지는 상태를 극이라고 한다면, 부딪치지만 깨어지지는 않고 요동치고 변화하는 상태를 충이라 한다. 지지를 원으로 배열했을 때 반대편에 놓인 기운끼리 서로 충한다.

천간의 극은 '완전한 제압'의 의미가 있어 제압하거나 제압당하는, 즉 일방적인 승리나 패배만 있고 이것이 모든 천간에 동일하게 적용되지만, 지지의 충은 각각 특성이 아주 다르다. 자오충부터 살펴보자.

자오충

자수와 오화가 만나서 서로 대립하는 것이 자오충의 의미이다. 오행 생극의 이치에 의해 수 기운과 화 기운이 만나면 화 기운이 위축된다. 자오충의 경우, 자수와 오화가 대등하게 대립한다고 보기는 어렵다. 자수 안에는 수의 요소만 들어 있고, 오화의 안에는 거의 화의 요소만 들어 있기 때문이다. 자오충이 형

지지의 충
子
자
丑
축
寅
인
卯
묘
辰
진
巳
사
午
오
未
미
申
신
酉
유
戌
술
亥
해

子
자수
午
오화
자오충
巳
사화
亥
해수
사해충
寅
인목
申
신금
인신충
卯
묘목
酉
유금
묘유충
辰
진토
戌
술토
진술충
丑
축토
未
미토
축미충

성되었을 때 훨씬 위축되는 기운은 화 기운이라서 오화가 무력해진다. 다만 극처럼 완전히 제압당하지는 않는데, 오화 안에 양화와 음화가 섞여 있기 때문이다. 어차피 양수인 임수, 음수인 계수에 의해 양화인 병화, 음화인 정화는 힘을 쓸 수 없지만, 음양이 섞여 있으므로 약간의 힘을 쓸 여지는 남는다. 자오충의 경우 정신적인 갈등, 정서적인 불안정의 의미가 강하다. 양의 극단에 해당하는 화의 기운과 음의 극단에 해당하는 수의 기운의 충돌이기에 그렇다.

자오충

대등한 대립이 아니며, 오화가 무력해진다.

축미충

지지를 원으로 배열했을 때 축토와 미토는 서로 반대편에 놓여 있지만, 대립한다고 보기는 어렵다. 축토와 미토 모두 정기에 오행 토를 가지고 있기 때문이다. 정기는 지지를 대표하는 기운이므로 지지에서 정기를 무시해서는 안 된다. 같은 정기를 공유하고 있으니, 축토와 미토는 크게 대립한다고 볼 수 없다.

다만 지장간의 요소들이(축토 안의 계수와 미토 안의 정화, 축토 안의 신금과 미토 안의 을목) 상극을 이루고 있으므로 겉으로는 화합해도 내면은 그렇지 않을 수 있다. 전체적으로는 통일을 이루지만 부분적으로는 상충한다고 보는 것이 옳다. 축토와 미토가 만났을 때 부분적으로 위축되는 쪽은 당연히 미토이다. 축토 안의 지장간 요소들이 미토 안의 요소들을 극하기 때문이다. 축토 안의 계수가 미토 안의 정화를, 축토 안의 신금이 미토 안의 을목을 극한다.

축토 안의 계수가 정화를, 신금이 을목을 극한다. 미토가 부분적으로 위축되기는 하지만, 축토와 미토가 대립한다고 보기는 어렵다. 정기인 기토를 공유하기 때문이다.

인신충

인목과 신금의 충은 아주 유심히 살펴야 한다. 생지끼리의 충이기 때문이다. 생지는 지장간이 모두 양간으로만 구성되어 있다. 양간끼리 대립하니 그 영향력이 훨씬 크고 극명하다. 정기의 관계를 살펴보면 신금의 정기 경금이 인목의 정기 갑목을 확실히 극하고 있다. 하지만 인목 안의 병화가 고개를 들어 경금을 제압한다. 이에 가만히 있지 않고 신금 안의 임수가 등장해 병화를 제압한다. 서로 꼬리에 꼬리를 물며 대립하는 양상을 보이므로 갈등이 크고 명확하다. 신금이 인목을 확실히 저지했다고 보기 어렵고 그렇다고 해서 인목이 자신의 목소리를 냈다고도 보기 어렵다. 이런 복잡하고도 강한 힘의 결과는, 삶에서 큰 갈등과 발전, 반목과 성취로 드러난다. 오행 목은 신체의 큰 골격과 관련이 깊다. 인신충의 부작용으로 신체적인 아픔과 사고를 들 수 있다.

인신충(양보하지 않는 큰 힘)

신금 안의 임수와 경금이 인목 안의 병화와 갑목을 극한다.

인목 안의 병화가 신금 안의 경금을 극하고, 신금 안의 임수가 인목 안의 갑목을 생한다.

묘유충

자오충과 마찬가지로 묘유충 역시 묘목과 유금이 만나서 대등하게 대립한다고 보기는 어렵다. 묘목 안에는 목의 요소만 들어 있고, 유금 안에는 금의 요소만 들어 있기 때문이다. 묘유충이 형성되었을 때 훨씬 위축되는 기운은 목 기운이라서 묘목이 무력해진다. 자오충의 경우 정신적인 의미가 강한데, 묘유충은 신체적인 의미가 강하다. 음목의 손상으로 인해 특히 하반신이 자잘한 사고를 겪는 경우가 많다.

묘유충

대등한 대립은 아니며, 묘목이 무력해진다.

진술충

축미충과 마찬가지로 진토와 술토 역시 서로 반대편에 놓여 있는 기운이지만, 대립한다고 보기는 어렵다. 진토와 술토 모두 정기에 오행 토를 가지고 있기 때문이다. 다만 지장간의 요소들이(진토 안의 을목과 술토 안의 신금, 진토 안의 계수와 술토 안의 정화) 상극을 이루고 있으므로 축미충과 마찬가지로 세부적인 면에서 갈등이 일어난다.

진술충이 흥미로운 것은 지장간의 초기에서는 진토 측이 극을 당하고, 지장간의 중기에서는 술토 측이 극을 당한다는 것이다. 물론 지지와 지지의 만남에서 초기는 초기끼리만 만나고, 중기는 중기끼리만 만나는 것은 아니다. 다양한 요소가 동시에 서로 교류한다고 봐야 한다. 그렇더라도 같은 층위에서의 만남이 더 깊은 의미를 지닌다. 결국 진술충의 결과 지장간 안에서 서로 1승 1패를 주고받는 상황이 전개되는 것이라서, 한쪽이 완전히 제압당하는 축미충보다 훨씬 복잡한 암투가 벌어진다. 다만 이러한 암투의 양상이 겉으로 드러나지 않을 가능성이 크다. 무토가 너른 품으로 그 갈등을 숨기고 있기 때문이다. 따라서 진술충은 겉으로는 드러나지 않는 정신적인 방황, 형이상학적인 가치관의 추구라는 의미도 담고 있다.

진술충

지장간의 기운끼리 서로 극하지만,
정기인 무토를 공유하기에 대립한다고 보기는 어렵다.

사해충

인신충과 마찬가지로 사해충 역시 아주 유심히 살펴야 한다. 양간들로만 구성된 생지끼리의 충이기 때문이다. 정기의 관계를 살펴보면 해수의 정기인 임수가 사화의 정기인 병화를 확실히 극하고 있다. 그런데 인신충과 다르게 사화 안의 경금은 병화를 돕지 않는다. 오히려 금생수로 임수에게 도움을 준다. 사화의 정기인 병화를 돕는 것은 해수 안의 갑목으로 볼 수 있는데, 중요한 것은 사화 안의 경금이 이 갑목마저 극한다는 것이다. 해수가 등장한 상황에서 사화 안의 경금은 병화에게는 여러모로 도움이 되지 않는다. 아군의 장수가 적의 수장을 도와주고, 적진 안에 숨어 있는 아군의 목을 치는 격이니, 사화의 정기 병화 입장에서는 완전히 배신당한 형국이다.

하지만 사화는 억울함을 호소할 처지가 못 된다. 12개의 지지 중 유일하게 정기가 중기를 극하는 지지가 바로 사화이기 때문이다. 사화의 정기 병화는 미래, 즉 다음 계절을 위해 예비해야 하는 기운인 중기의 경금을 극하고 있다. 미래의 가능성을 박탈당한 자는 위기가 닥쳤을 때 큰 위험에 빠지는 법이다. 결과적으로, 인신충은 대등한 대립의 의미가 강했다면, 사해충은 사화가 훨씬 무력해지는 결과를 가져온다. 자신의 업보 탓에 무너지는 사화, 이것은 정신적인 분열과 갈등을 겪을 수 있음을 강하게 드러낸다. 자오충이 정신적인 불안정을 의미한다면, 사해충은 정신의 분열과 억울함, 방황의 의미가 강하다.

사해충

중기가 상대방의 정기를 생한다.

사화 안의 경금이 갑목을 극하여 병화를 난처하게 만든다.

해

해[害, 육해六害라고도 한다]는 육합에서 파생된 이론이다. 해할 해害를 쓴 것에서도 짐작할 수 있듯이 육합을 방해하는 의미를 담고 있다. 해는 육합을 하는 지지와 충을 하는 지지와의 관계를 의미한다. 인목과 해수의 결합을 육합으로 볼 때, 인목의 입장에서 사화가 등장하면, 사화는 해수와 충을 해서 해수를 멀어지게 한다. 그 결과 인목은 해수와 육합을 할 수 없으므로 인목과 사화의 결합을 해로 해석한다. 해수의 입장에서도 마찬가지다. 해는 특별한 의미가 없는 이론이다. 하나의 이론(육합)이 다른 이론(충)과 결합해 새로운 이론을 만들어 낼 수 있음을 알려 주는 예로 이해하면 좋겠다.

- 자미해 : 자수를 기준으로 할 때 미토가 축미충으로 자축합을 방해한다. 미토를 기준으로 할 때는 자수가 자오충으로 오미합을 방해한다.
- 축오해 : 축토를 기준으로 할 때 오화가 자오충으로 자축합을 방해한다. 오화를 기준으로 할 때는 축토가 축미충으로 오미합을 방해한다.
- 인사해 : 인목을 기준으로 할 때 사화가 사해충으로 인해합을 방해한다. 사화를 기준으로 할 때는 인목이 인신충으로 사신합을 방해한다.
- 묘진해 : 묘목을 기준으로 할 때 진토가 진술충으로 묘술합을 방해한다. 진토가 기준일 때는 묘목이 묘유충으로 진유합을 방해한다.
- 신해해 : 신금을 기준으로 할 때 해수가 사해충으로 사신합을 방해한다. 해수를 기준으로 할 때는 신금이 인신충으로 인해합을 방해한다.
- 유술해 : 유금을 기준으로 할 때 술토가 진술충으로 진유합을 방해한다. 술토를 기준으로 할 때는 유금이 묘유충으로 묘술합을 방해한다.

파

해害와 마찬가지로 파破 역시 특별한 의미가 없는 이론이다.

파는 두 개의 지지가 만나서 서로 깨어진다는 의미인데, 이론적 근거는 부족하다. 삼합의 신자진과 사유축의 만남, 인오술과 해묘미의 만남에서 생지끼리의 갈등, 왕지끼리의 갈등, 고지끼리의 갈등의 양상에서 파의 힘이 발현되며 사신파, 자유파, 축진

파의 이론적 근거

신금(수水 운동)	자수	진토
↕	↕	↕
사화(금金 운동)	유금	축토

인목(화火 운동)	오화	술토
↕	↕	↕
해수(목木 운동)	묘목	미토

파의 종류

	생지	왕지	고지
수의 삼합	신금	자수	진토
금의 삼합	사화	유금	축토
파의 종류	사신파	자유파	축진파
화의 삼합	인목	오화	술토
목의 삼합	해수	묘목	미토
파의 종류	인해파	오묘파	술미파

파, 인해파, 오묘파, 술미파 6가지를 파의 종류로 제시하고 있다. 왜 신자진과 사유축, 인오술과 해묘미가 만나면 생지, 왕지, 고지끼리 갈등해야 하는지에 대한 설명이 없으며, 오행의 상생상극의 관점에서도 납득할 수 없는 이론이다.

형

형形은 형벌을 받는다는 의미로, 일상이 제약되고 큰 위험에 노출된다는 이론인데, 형에 이런 의미가 있다고 보기는 어렵다. 즉 사주에 형이 있으면 위험하다는 인식은 잘못되었다는 말이다.

형의 이론적 근거는 삼합과 방합의 조합에서 찾아볼 수 있는데, 먼저 다음 표를 참고하자.

형의 이론적 근거

삼합	목			수			금			화		
	해수	묘목	미토	신금	자수	진토	사화	유금	축토	인목	오화	술토
방합	수			목			금			화		
	해수	자수	축토	인목	묘목	진토	신금	유금	술토	사화	오화	미토

수나라 때의 명리학 이론을 모아 놓은 책《오행대의》에 형의

이론적 근거가 나온다. 요약하자면, 목은 수로 돌아가고, 수는 목으로 돌아간다. 금은 금으로 돌아가며, 화는 화로 돌아간다. 본래의 기운(삼합)과 돌아가야 하는 곳의 기운(방합)이 서로 충돌하여 조화의 이치를 방해한다는 것이 형의 이론적 근거이다. 즉 삼합과 방합의 조합으로 인해 '해해, 묘자, 미축, 신인, 자묘, 진진, 사신, 유유, 축술, 인사, 오오, 술미'라는 형을 받는 조합이 나오게 된다.

이 이론이 발전하여, 같은 글자끼리 모여 스스로에게 형벌을 내린다는 자형(自形: 해해, 진진, 유유, 오오), 세 개의 지지가 모여서 형벌을 받게 된다는 삼형(三形: 인사신, 축술미), 그리고 마지막에는 서로 형을 주고받는 상형(相形: 자묘, 즉 자는 묘에게 형벌을 내리고, 묘는 자에게 형벌을 내린다는 의미로 서로가 서로에게 형벌을 내리는 것이다)으로 정착했다. 형의 이론적 근거는 수가 목으로 돌아가고, 목이 수로 돌아가며, 금은 금으로, 화는 화로 돌아간다는 것인데, 도대체 왜 돌아가야 하는지, 왜 화는 화로 돌아가야 하는지에 대한 근거가 없다. 더욱 근본적인 문제는 이러한 이론이 음양오행의 상생상극 이치에 맞지 않는다는 점이다. 삼합과 방합의 조합이 새로운 이론을 만들어 냈음을(그렇지만 의미 없는) 다시 한번 확인할 수 있을 뿐이다.

다만 형 중에서 인사신은 의미가 있다고 볼 수 있는데, 그 이유는 인사신 삼형을 이루는 지지인 인목, 사화, 신금이 모두 강한 추동력을 가진 생지들이기 때문이다. 생지를 이루는 지장간은 모두 양간으로만 구성되어 있다. 만약 인사신을 두루 갖춘 사주라면, 삼형 때문이 아니라 양보하지 않고 자기주장을 펼치는 양간들 간의 기세 싸움 탓에 크게 파란을 겪거나 성취한다고 본다. 근거 없는 이론에 얽매이지 않고도 지장간을 통해 얼마든지 사주의 특성을 파악할 수 있는 것이다.

암합

천간의 기운이 모여서 이룩된 것이 지지이다. 그렇다면 지지와 지지의 관계에서 천간합인 갑기합, 을경합, 병신합, 정임합, 무계합은 어떻게 작용할까? 지지의 정기와 정기 사이에 천간합의 관계가 형성되어 있을 때, 지지와 지지는 서로 긴밀하게 연결된다. 이런 관계에 놓인 지지를 드러나지 않게 합을 한다고 보아 암합暗合이라고 부른다. 예를 들면 묘목과 신금의 경우, 묘목의 정기인 을목과 신금의 정기인 경금은 서로 천간합인 을경합으로 묶인다. 지지는 하나의 요소로만 구성된 것이 아니기에 완전하게 합의 연합 작용이 일어나는 것은 아니지만, 암합의 관계에 있는 지지가 바로 옆에 있을 때는 결합의 의미가 발생한다. 암합에 해당하는 지지의 조합은 다음과 같다.

- 자술(무계합)
- 자진(무계합)
- 축인(갑기합)

- 인미(갑기합)
- 묘신(을경합)
- 사유(병신합)
- 오해(정임합)

이 중에서 자진합, 사유합의 경우 삼합 이론으로 이해할 수 있으며, 인미합과 축인합의 경우는 지장간의 요소가 너무 많아 제대로 합이 이루어지기 어렵다. 자술합의 경우에는 암합의 작용보다 토극수의 작용이 도드라져 암합으로 접근하기 어렵다. 술토를 만난 자수는 여간해서는 자신의 힘을 쓰기가 어려운 법이다.

암합의 결합 과정이 가장 극명하게 드러나는 지지는 묘신합과 오해합이다. 특히 묘신합은 합의 과정이 가장 명확하게 드러나는데, 사주원국에 묘목과 신금이 인접해 있는 경우 유심히 살펴야 한다. 만약 임수 일간의 사주라면, 묘목은 십신상 상관이 되고, 신금은 편인이 된다. 묘목과 신금이 붙어 있다면 상관과 편인이 암합을 하고 있으므로, 표현력(상관)과 독특한 예술적 감성(편인)이 결합하여 예술적으로 크게 성공할 수 있는 힘이 된다. 사주원국에 신금이 있고, 운으로 묘목이 들어오는 경우와 그 반대의 경우 역시 암합의 작용으로 두 개의 지지가 서로 강력하게 결합한다.

암합의 예시

을목과 경금이 결합하여(을경합) 기능이 하나로 결합된다.

정화와 해수가 결합하여(정임합) 기능이 하나로 결합된다.

천간과
지지

하나의 간지 안에서 천간과 지지의 관계는 음양오행의 상생상극 관점과 천간합의 관점으로 살펴볼 수 있다.

갑자라는 간지가 있을 때, 갑목은 자수에 의해 생을 받는다. 반면 자수는 갑목을 생한다. 갑목의 입장에서는 정인으로부터 생을 받는 것이며, 자수의 입장에서는 상관을 맞이해 생하는 것이다. 힘의 주고받음의 관계로 보면, 갑목은 힘을 부여받고 있고, 자수는 힘을 흘려보내고 있다. 간지 자체에서 힘의 생성과 순환을 느낄 수 있다. 갑목과 자수의 음양이 다르므로 이런 과정은 원만하고 부드럽게 전개된다.

을유라는 간지가 있을 때, 을목은 유금에 의해 극을 당한다. 반면 유금은 을목을 극한다. 을목의 입장에서는 편관으로부터 극을 당하는 것이며, 유금의 입장에서는 편재를 맞이해 극하는 것이다. 힘의 주고받음의 관계로 보면, 을목은 힘을 완전히 빼앗기고 있고, 유금 역시 극하느라 힘을 뺀다. 간지 자체에서 엄

60간지

甲	乙	丙	丁	戊	己	庚	辛	壬	癸	甲	乙
子	丑	寅	卯	辰	巳	午	未	申	酉	戌	亥
갑자	을축	병인	정묘	무진	기사	경오	신미	임신	계유	갑술	을해
丙	丁	戊	己	庚	辛	壬	癸	甲	乙	丙	丁
子	丑	寅	卯	辰	巳	午	未	申	酉	戌	亥
병자	정축	무인	기묘	경진	신사	임오	계미	갑신	을유	병술	정해
戊	己	庚	辛	壬	癸	甲	乙	丙	丁	戊	己
子	丑	寅	卯	辰	巳	午	未	申	酉	戌	亥
무자	기축	경인	신묘	임진	계사	갑오	을미	병신	정유	무술	기해
庚	辛	壬	癸	甲	乙	丙	丁	戊	己	庚	辛
子	丑	寅	卯	辰	巳	午	未	申	酉	戌	亥
경자	신축	임인	계묘	갑진	을사	병오	정미	무신	기유	경술	신해
壬	癸	甲	乙	丙	丁	戊	己	庚	辛	壬	癸
子	丑	寅	卯	辰	巳	午	未	申	酉	戌	亥
임자	계축	갑인	을묘	병진	정사	무오	기미	경신	신유	임술	계해

청난 힘의 방출을 느낄 수 있는 것이다. 을목과 유금의 음양이 같으므로 이런 과정은 급격하고 과감하게 전개된다.

천간과 지지 각각에 기준을 두고, 오행의 상생상극으로 관계를 살피고, 힘의 드나듦을 살핀다면 하나의 간지에 어떤 힘이 흐르는지 확인할 수 있다. 갑진처럼 지지의 지장간이 복잡한 경우에도 지지의 지장간과 천간의 관계를 하나씩 대입하면 천간과 지지의 관계를 파악할 수 있다. 갑진의 경우, 갑목은 진토의 정기인 무토를 극한다. 극하느라 힘을 빼지만, 재미있는 것은 진토의 지장간 을목, 계수가 갑목을 도와준다는 점이다. 을목은 겁재로서, 계수는 정인으로서 갑목의 부족한 힘을 채워 준다. 따라서 갑진의 경우 힘을 쓰면서 동시에 공급받고 있으니 절묘한 안정성이 형성된다.

천간합은 천간과 천간 사이에서 극명하게 일어나고, 지지와 지지에서는 묘신합과 같은 특별한 경우를 제외하고는 합이 희미하게 작용한다. 그렇다면 하나의 간지(천간과 지지의 조합) 안에서는 합이 어떻게 작용할까? 합이 아주 선명하게 작용한다. 그 이유는 간지 자체가 하나로 뭉쳐진 기운이기 때문이다. 그 기운을 이해하기 위해 천간과 지지로 나눠 놓았을 뿐 실제로 하나의 간지는 하나의 독자적인 기운으로 봐야 한다. 독자적인 기운 안에서 천간과 지지의 합이 이루어지기에 훨씬 그 영향력이 강하게 드러난다. 하나의 간지 안에서 합이 이뤄지는 경우는 다음과 같다.

- 정해(정화와 해수의 정기인 임수의 합, 정임합)
- 무자(무토와 자수의 정기인 계수의 합, 무계합)
- 신사(신금과 사화의 정기인 병화의 합, 병신합)
- 임오(임수와 오화의 정기인 정화의 합, 정임합)

정해, 무자, 신사, 임오는 간지 안에서 천간과 지지의 정기가 합을 이루고 있다. 간지 안에서 남모르게 합이 이루어지고 있다

간지 암합 표(지장간의 작용)

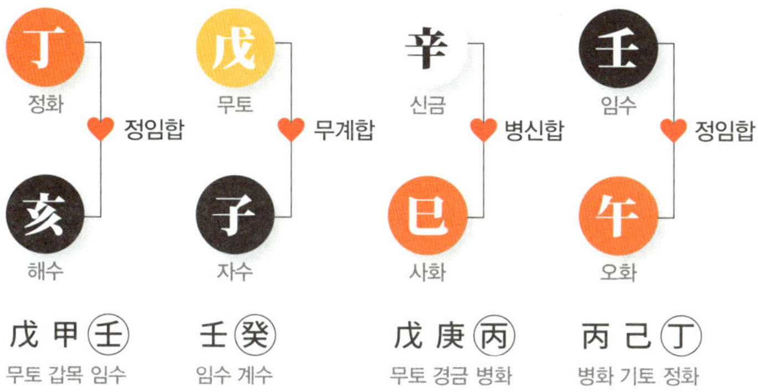

고 보아 이를 '간지 암합'이라고 한다. 간지 암합의 경우 간지 안에서 음양의 결합이 완성되기에 간지 자체가 가지는 안정성이 매우 크다. 쉽게 흔들리지 않고 중심을 지킬 수 있는 것이다. 간지 암합에서 합은 결국 정관이나 정재를 쓰는 기운의 합을 의미하기에 간지 암합에 해당하는 간지들은 사회적으로 크게 성취하는 데 유리하다. 남녀의 관점으로 보면 배우자와 관계가 원만함을 암시하기도 한다.

간지 암합에 해당하는 간지들이 운으로 들어왔을 때는 운의 작용도 원만하게 드러난다. 즉 매우 좋지 않은 운의 부정성은 줄어들고, 매우 좋은 운의 긍정성 또한 반감된다. 예를 들어 운으로 무자라는 기운이 들어온다고 하더라도 이 무자는 간지 안에서의 안정성에 만족하므로 사주원국과 관계 맺는 것을 꺼린다. 사랑에 빠진 남녀에게는 상대방 말고 다른 것은 눈에 들어오지 않는 것이다. 일주를 제외한 월주, 시주에 간지 암합에 해당하는 간지가 있을 경우, 십신의 융합으로 해석할 수 있겠다. 병화 일간이 무자 월주를 두었을 때, 십신으로 보면 무토는 식신, 자수는 정관이다. 식신과 정관이 강하게 합을 하고 있으니 직장의 안정성(정관)을 유지한 채 궁리(식신)하는 연구원이 적성에 맞는 것으로 해석할 수 있다. 식신이 먹는 힘이고, 정관이 시스템이라는 것에 주목한다면 프랜차이즈(정관) 음식점(식신)을 운영하는 것으로도 해석이 가능하다.

3장

자리의 의미

근묘화실

연주는 1년 단위의 주기, 월주는 1달 단위의 주기, 일주는 하루 단위의 주기, 시주는 두 시간 단위의 주기이다. 인간이 태어난 시점을 연월일시의 층위로 파악할 때 시부터 되짚어 올라가면, 시는 일에 근원을 두고 있고, 일은 월에 근원을 두고 있고, 월은 연에 근원을 두고 있다. 연부터 살펴보면, 연이 월을 낳고, 월이 일을 낳고, 일이 시를 낳은 것이다. 따라서 인간을 이루는 하나의 기운은 연월일시의 계층적인 연결로 파악할 수 있다. 연월일시의 서로 다른 층위가 상하 관계, 원인과 결과의 관계로 연결되어 있고, 이 연결이 인간의 운명과 삶에 큰 영향을 미친다는 이론이 바로 근묘화실根苗花實 이론이다. 연에 해당하는 뿌리[根], 월에 해당하는 새싹[苗], 일에 해당하는 꽃[花], 시에 해당하는 열매[實]의 조화로 사주를 이해하는 방식이다.

근묘화실 이론의 출발점은 당나라이다. 수, 당나라 시대에 인간의 운명을 이해하려는 다양한 이론이 등장했는데, 그중 하나가 바로 당사주唐四柱이다. 당사주는 아주 단순한 방식으로 연월일시를 연결해 운명을 추론하고 있다. 간단히 소개하면, 지지를 12개의 기운으로 구분하고, 어떤 사람이 7월 8일 묘시에 태어났다면, 그해에 해당하는 기운에서 7칸 이동해 월의 기운을 산출하고, 그 월의 기운에서 8칸 이동해 일의 기운을 산출하고, 그 일의 기운에서 4칸• 이동해 시의 기운을 산출하는 식이다. 당사주는 조합 방식이 너무 단순하고 지지만을 사용한 운명 추론 방식이어서 정확도가 많이 떨어진다. 하지만 연월일시가 서로 연결되어 있고, 이 연결이 큰 의미를 가진다는 당사주의 전제는 송대에 등장하는 근묘화실 이론의 뿌리가 되었다.

송대에 이르러 연월일시라는 사주 체계가 점차 확립되었고, 근묘화실 이론이 처음으로 모습을 드러냈다. 근묘화실 이론은 연월일시에 각각 의미를 부여하는 방식인데, 초기의 근묘화실 이론에서는 연주를 신분, 월주를 가문, 일주를 형제와 처첩, 시주를 자손이나 노비로 보았다. 상위의 주기에 해당하는 기운이 하위 주기에 해당하는 기운을 낳는다는 아이디어를 사회적인 관계, 인간관계에도 적용한 것이다.

근묘화실 이론은 송대 후반 그리고 명대를 거치면서 완전하게 자리를 잡는다. 송대에 저술되고 명대에 출판된《연해자평》에는 완전히 체계를 갖춘 근묘화실 이론이 소개되어 있다.

연월일시를 조상, 부모, 자신(아내), 자식으로 판단한 근묘화

• 자축인묘진사오미신유술해 즉 12개 지지에서 묘시는 4번째이기 때문이다.

《연해자평》의 근묘화실 체계

시주	일주	월주	연주
자식	자신, 아내	부모, 형제	조상, 가문

실 이론의 최대 의의는 근묘화실 이론의 발전 과정을 통해 사주의 주체인 일간을 발견했다는 점이다. 즉 사주의 중심이 되는 '나', 사주의 '주인공'이 들어가야 할 자리가 바로 '일(태어난 날)'이라는 것이 근묘화실 이론을 통해 유추된 것이다. 현대에 이르러 연주를 0~20세, 월주를 20~40세, 일주를 40~60세, 시주를 60~80세 시기의 운으로 보기도 한다. 혹은 연주를 국가, 월주를 지방, 일주를 집, 시주를 집 안의 방이라는 개념으로 활용한다. 하지만 근묘화실의 의미를 은유적으로 이해해야지 시간이나 공간의 의미로 나누는 것은 옳지 않다. 연주와 월주는 잠재된 능력, 시주는 발전시킬 수 있는 능력으로 해석하는 것이 옳다. 인간관계를 근묘화실에 대입해 월주를 부모, 시주를 자녀로 보는 것도 경직된 해석이다.

연주

연주는 1년이라는 가장 넓은 범위의 주기에 해당하는 자리이다. 가장 넓은 만큼 희미한 기운이기에, 밑바탕을 이루는 의미는 있지만 사주의 기준이 되는 일간에게 미치는 영향력은 가장 작다. 주기의 관점에서 연주와 일주를 비교해 보면, 사주의 주체인 일간은 하루 단위의 주기를 가지고 있는 반면, 연주는 1년이라는 주기를 가지고 있다. 즉 둘의 주기 차이가 무려 365배나 나기 때문에 연주가 일간에게 미치는 영향력은 미미하다. 단순하게 사주상의 위치로 보더라도 일간과 연주는 두 칸이나 떨어져 있다. 한 칸이면 가까운 거리이고, 두 칸이면 아주 먼 거리, 세 칸이면 하늘과 땅의 거리로 볼 수 있다. 멀리 떨어져 있을수록 서로에게 미치는 영향력이 약하다. 주기 차이가 크기 때문이다.

흔히 연주에 정관이 있으면 '국가'의 자리에 관직을 의미하는 기호가 놓이므로 국가직 공무원이 되고, 연주에 식상이 있으면 조상으로부터 먹을 복이 내려온다고 해석해 왔지만, 이런 해석은 실제 삶을 반영하지 못한다. 이런 종류의 해석에서 우리가 얻을 수 있는 통찰은 연주가 사주 전체의 뿌리이고, 밑바탕이 된다는 것밖에 없다.

모든 기운이 연주에서부터 천천히 발원해 결국 시주로 이어진다는 관점은 연월일시 단계로 운을 적용하는 폐단을 낳았다. 모든 사주는 연주에서 월주, 일주 순으로 형성되니, 태어난 후 20년은 연주의 영향을 강하게 받고, 그다음 청년기 20년은 월주의 영향을 강하게 받는다는 식의 오해가 생긴 것이다.

근묘화실과 운의 적용

	시주	일주	월주	연주
천간				
지지				
	60~80세의 운을 좌우	41~60세의 운을 좌우	21~40세의 운을 좌우	0~20세의 운을 좌우

이 오해에 근거하면, 재성이 연주에 있는 경우, 재성은 놀이와 취미 활동, 돈벌이의 기운이므로 어린 시절에 공부를 하지 않는다는 식으로 사주 해석을 할 수 있다. 하지만 이는 잘못된 방법이다. 이유는 다음과 같다.

첫 번째, 인간은 태어나는 순간 하나의 완결된 기운을 부여받기 때문이다. 인간이 필요에 따라 그 기운을 기호로 분석하고 나눌 수 있을 뿐, 우리는 실질적으로 하나로 뭉쳐진 기운을 부여받았다. 즉 완결된 하나의 기운 안에서 벌어지는 세부적인 기운들의 상호 작용을 관찰하는 것이 명리학의 과제인 것이다. 실제로 우주의 기운은 모두 이미 완결된 상태이고(완결되지 않은 것은 존재할 수 없다), 하나로 융합되어 있으므로 연월일시가 제각기 떨어져 20년씩 작용한다고 보는 이론은 이치에 맞지 않다.

두 번째, 사주팔자는 하나의 완결된 기운이고, 그 기운의 중심이 되는 자리가 바로 일간이기 때문이다. 일간은 중심이고, 주체이고, 그 자체로 기준이 되기에 특별한 지위를 부여받고 있다. 즉 다른 세부적인 기운을 판단할 수 있는 중심이 되는 것이지, 판단 대상이 되지 않는다. 일간에게는 십신이 없다. 왜냐하면 일간이 사주팔자 전체의 본질 그 자체이기 때문이다. 그런데 주별로 20년씩 끊어서 운을 적용하면, 일주에 해당하는 40~60세의 시기를 어떻게 다루어야 하느냐는 문제에 봉착한다. 기준이 여러 개 생겨 버리는 것이다. 이 때문에 기준이 겹치는 40~60세의 시기에는 '일주의 운을 그대로 쓰게 된다,' '자신의 힘을 그대로 발현하게 된다'는 궁색한 설명만 할 수 있을 뿐이다.

일간을 기준으로 설정했다면 일간이 기준이 아니었을 때 썼던 방법론은 버려야 한다.

연간

아무래도 연간은, 월간에 영향을 강하게 미친다. 연주와 일주의 주기 차이에 비하면 월주와는 주기 차이가 적은 데다 위치상으로도 바로 월간의 옆에 있기 때문이다. 연간 입장에서 월간은 자신의 하위 주기라서 아주 중요하다. 이런 관계에서 연간이 월간을 극하는 경우라면 유심히 살펴야 한다. 월간에 중요한 요소가 있을 때 큰 변동을 암시하기 때문이다. 모든 기운이 연주에서 발원해 월주, 일주, 시주로 이어진다는 근묘화실의 관점에서 보더라도 연간이 월간을 극하는 상황은 좋지 않다. 밑바탕이 그 위에 올라앉은 기운을 괴롭히는 형국이니 평안하기는 어려운 것이다.

연간과 영향력

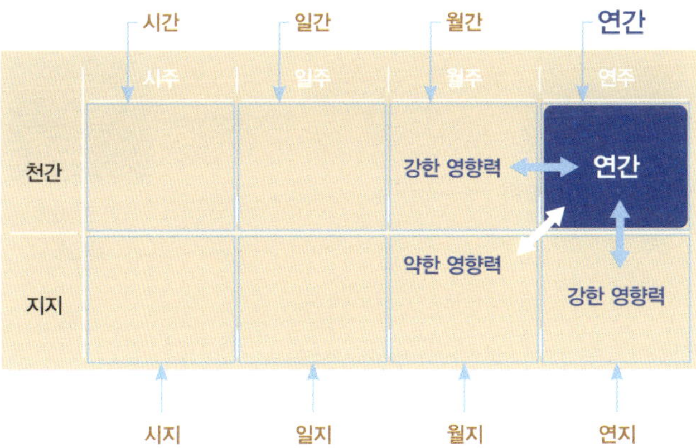

연지

연지의 경우도 월지에 영향을 강하게 미친다. 연간과 마찬가지로 연지도 월지와 주기가 가장 유사하고 위치상으로도 월지 바로 옆에 있기 때문이다. 월지 역시 아주 중요한 자리다. 인간 잠재력의 뿌리에 해당하는 자리이기 때문이다. 모든 심리 작용이 월지에서 비롯되고 잠재적인 역량 역시 월지에서 꽃핀다. 따라서 연지가 월지를 충이나 극하는 경우 매우 유심히 살펴야 한다. 심리와 잠재적 역량에서 변동이 생길 수 있다.

연지와 영향력

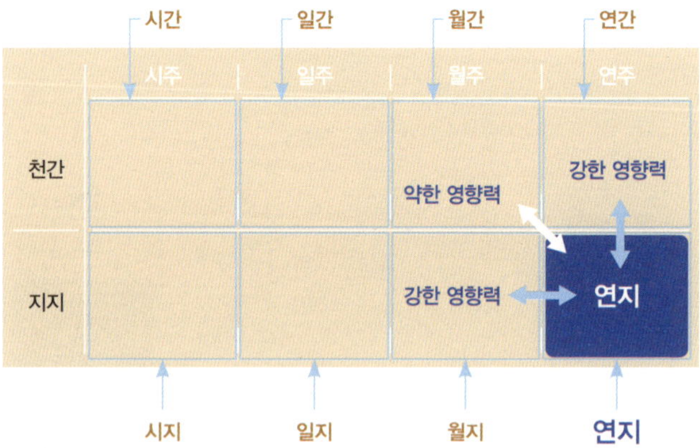

연간은 월간과 관계가 깊고, 연지는 월지와 깊이 관련되어 있다고 했지만, 실제로 모든 간지는 한 주로 묶이는, 천간과 지지 사이에서 가장 격렬하고 긴밀한 관계를 맺는다. 연간은 연지와 가장 친하고, 연지 역시 연간과 가장 친밀하다. 다만 연간과 연지 둘은 합을 하든 극을 하든 큰 의미를 띠지 않는다. 일간과 거리가 멀기 때문이다. 하지만 연주가 월주의 상황을 변동시킨다면 유심히 살펴야 한다. 월주는 일간과 밀접한 관계를 갖기 때문이다.

월주

월주는 일간에 직접적으로 영향을 미치는 자리이다. 일주와 월주의 주기 차이가 30분의 1밖에 나지 않는 데다, 위치상으로도 월주는 일간의 바로 옆에 있기 때문이다. 근묘화실 이론에 따르면 월의 다음 단계가 일이니 월이 일을 낳았다고 보는 입장에서는 월주를 부모의 자리 혹은 형제의 자리라고 보기도 하는데, 이 역시 월주와 일주의 관계를 오해한 해석이다. 물론 월주는 일간의 배후의 자리, 배경이 되는 자리, 밑바탕이 되는 자리이다. 하지만 밑바탕이 된다고 해서 부모, 형제와 직접적으로 관련지어 버린다면 해석의 풍요로움이 사라진다.

또한 우리는 부모와의 관계를 유추할 수 있는 훌륭한 도구를 가지고 있다. 십신이다. 월주보다 십신을 통해 부모와의 관련성을 더 잘 추리할 수 있다. 인성이 너무 없거나 많으면 부모로부터의 은덕이 적을 수 있다. 이는 너무나 간단한 해석 같지만, "너무 없거나 많으면"이라는 구절 안에는 팔자를 종합적으로 판단한다는 의미가 숨어 있다. 즉, 부모와의 관련성을 유추하려면 팔자 전체의 기운을 살펴야 한다. 월주에만 의존하면 본질을 놓치게 되는 것이다. 다시 한번 강조하지만, 팔자 전체의 기운을 통괄할 수 있게 만드는 기준이 바로 일간이다. 훌륭한 기준이 나왔는데, 굳이 팔자 전체를 통괄할 수 없는 이론에 집착할 필요는 없다.

월간

월간은 시간과 더불어 가장 중요한 기운이고 유심히 관찰해야 할 자리이다. 월간과 시간이 중요한 이유는 일간과 가장 가까운 위치에 있고, 일간과 같은 부류인 천간이기 때문이다. 동류인 데다 일간의 옆에 근접해 있어 영향력이 큰 것이다.

월간은 사람이 평생 써야 할 삶의 도구이고, 심리 및 직업과 밀접한 관련이 있다. 비유하자면 사람의 왼팔과 같다. 월간에 놓인 간지가 유리한 작용을 하느냐, 불리한 작용을 하느냐를 떠나서 일간은 월간을 쓰게 되어 있고, 쓰면서 행복을 느낄 수 있다. 월간이 화 기운이라면, 화 기운을 적극적으로 쓰는 직업군(영상, 공연, IT, 전기, 전자 분야)에 종사한다. 월간의 십신이 정재라면, 꼼꼼하고 성실한 성향이 강하게 드러나며 정재와 어울리는 직업인 관리직, 사무직에 종사할 가능성이 크다. 월간에 정인이 놓여 있다면, 책을 좋아하거나 이타적인 성향을 잘 드러낸다.

월간은 주기의 관점에서 봤을 때 일간의 상위 주기에 해당하는 자리이기에 부모나 환경으로부터 물려받는 능력을 의미한다. 월간 역시 오행과 십신을 같이 고려해서 해석해야 하는데, 월간에 수 기운이 있다면 수 기운의 여유와 감수성이 풍부한 환경에서 자라날 가능성이 크고, 편관의 힘이 강하다면 억압의 대상이 존재할 수 있음을 암시한다. 물론 그 대상은 윗사람 혹은 지휘, 감독을 하는 부모나 교사가 될 가능성이 크다.

월간과 영향력

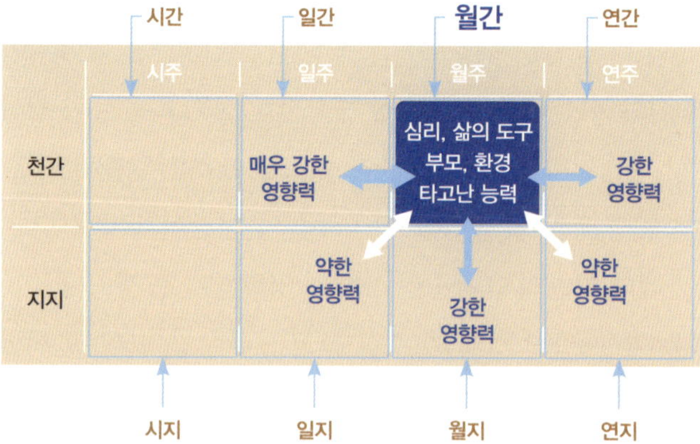

월지

월지는 예로부터 월령이라 불렀고, 가장 중요시되는 자리였다. 령令이 '우두머리, 지휘, 명령'이라는 뜻을 갖고 있는 것에서도 알 수 있듯이 팔자 전체에서 가장 중요한 자리이자 팔자 전체를 지휘, 호령하는 자리로 여겨졌다. 그 이유는 여덟 개의 자리 중에서 월지만이 유일하게 계절과 관련이 있기 때문이다. 즉 월지•를 보면, 사람이 태어난 계절적인 환경을 알 수 있고, 계절은 인간이 확실하게 체감할 수 있는 자연의 조건이었기에 월지의 중요성이 자연스럽게 강조되었다.

이는 일종의 계절 중심주의로 볼 수 있는데, 인월에 태어난 사람이 있다면, 나머지 일곱 개의 구성 요소가 봄의 기운을 해치면 안 된다고 보았다. 인월인 사주에서 전체적으로 금이 많다면, 금극목에 의해 사주의 중심축이 되는 목 기운이 방해를 받으므로 좋지 않게 본 것이다.

지지에 따른 절기, 월, 시간

	절기	월	시
자子	대설～소한	12월 7, 8일～1월 5, 6일	밤 11:30～새벽 1:30
축丑	소한～입춘	1월 5, 6일～2월 4, 5일	1:30～3:30
인寅	입춘～경칩	2월 4, 5일～3월 5, 6일	3:30～5:30
묘卯	경칩～청명	3월 5, 6일～4월 4, 5일	5:30～7:30
진辰	청명～입하	4월 4, 5일～5월 5, 6일	7:30～9:30
사巳	입하～망종	5월 5, 6일～6월 5, 6일	9:30～11:30

• 월지는 연지, 월간처럼 자리의 이름이면서 태어난 달의 지지를 의미한다. 예를 들어 자월에 태어난 사람은 자수가 월지고, 축월에 태어난 사람은 축토가 월지며, 인월에 태어난 사람은 인목이 월지이다.

	절기	월	시
오午	망종~소서	6월 5, 6일~7월 7, 8일	11:30~13:30
미未	소서~입추	7월 7, 8일~8월 7, 8일	13:30~15:30
신申	입추~백로	8월 7, 8일~9월 7, 8일	15:30~17:30
유酉	백로~한로	9월 7, 8일~10월 8, 9일	17:30~19:30
술戌	한로~입동	10월 8, 9일~11월 7, 8일	19:30~21:30
해亥	입동~대설	11월 7, 8일~12월 7, 8일	21:30~23:30

다른 예로 오월에 태어난 사람은 월지가 오화이기 때문에, 천간에 수가 많으면 좋지 않게 보았다. 천간과 지지가 호응하는 것이 좋은데, 천간의 요소들이 화의 기운을 방해하기 때문이다.

가장 좋은 것은 월지와 같은 오행이 천간에 하나 더 있고, 그 천간이 좋은 흐름으로 흘러갈 때이다. 예를 들어 봄에 태어난 사람이 있다면, 천간에 갑목이 있고, 그 갑목이 생의 흐름으로 수생목되어 있거나, 목생화할 때를 좋은 사주라 볼 수 있다.

이렇게 월지를 중요시하고, 월지와 일간의 관계를 설정해 사주 유형을 정리해 놓은 것을 격국론이라고 한다. 격국론의 요지는 위에서 설명한 것과 같다. 격국론에서는 월지를 사주의 중심축으로 보며, 월지와 같은 오행이 천간에 있는가, 천간에 놓인 그 오행이 좋은 흐름에 놓이는가가 사주의 형세를 판단하는 절대적인 근거다.

물론 사주명리의 근간이 되는 만세력이 절기력이고, 절기는 월지와 아주 밀접한 관련이 있다. 현대의 달력 체계에서는 1일이 되면 월이 바뀌지만, 만세력에서는 절기에 따라 월이 바뀐다. 월이 바뀌는 기준이 절기다. 그만큼 절기, 월지가 중요한 요소다. 하지만 월지가 중요하다고 해서, 월지에만 의존하면 제대로 판단을 할 수 없게 된다. 하나의 요소에 너무 큰 비중을 두면, 전체 판세를 읽는 데 방해를 받을 수밖에 없는 것이다.

월지는 계절적 환경을 알려 주는 소중한 자리이지만 월간, 일지, 연간 등과 더불어 팔자를 구성하는 요소들 중 하나로 보아야 한다. 오히려 월지는 월간에 비해 일간에 미치는 영향력이 떨어지는데, 이유는 다음과 같다.

첫 번째 이유는, 사주에서 하나의 요소에 가장 크게 영향을 미치는 것은 바로 한 주를 이루는 천간, 지지의 쌍이기 때문이다. 천간, 지지가 결합된 하나의 간지, 예를 들어 '갑자'는 하나의 독립된 단위이다. 이해를 위해 갑목과 자수로 나눌 수 있을 뿐, 실제로는 떼려야 뗄 수 없이 결합되어 있다. 간지는 뗄 수 없고, 그 자체로 하나의 힘을 행사한다고 보면, 갑자라는 간지에서 갑목에게 가장 큰 영향을 미치는 요소는 자수이다. 자수에게 가장 큰 영향을 미치는 요소 역시 갑목이다. 비유하자면 한 집에서 같이 살고 있는 배우자가 가장 큰 영향을 미칠 수밖에 없는 것이다.

따라서 월지와 가장 밀접한 관계를 맺고 있는 자리는 바로 월간이다. 월지는 사주팔자 전체를 책임지기에 앞서, 월간의 영향을 많이 받는다. 천간을 양, 지지를 음이라는 관점에서 보더라도, 음에 해당하는 지지가 팔자 전체를 책임지는 우두머리가 된다는 것은 상상하기 어렵다. 그간 월지가 계절의 단서를 제공한다는 이유로 너무 과도하게 무거운 짐을 짊어지고 있었던 것이다. 실속이 없더라도 일단은 대장 역할을 하는 것이 양의 본질이므로, 전체를 호령하고 명령하려면 반드시 양이어야 한다. 사주의 기준이 일지나 월지가 아닌 일간인 이유, 일간이 사주의 근간이 되는 것도 바로 일간이 천간, 즉 양의 기운이기 때문이다. 만약 월지가 그토록 중요한 자리라면, 그리고 지지에서 핵심적인 작용이 일어나고 지지가 중심축이 될 수 있다면, 왜 일지가 기준이 되지 않았는가? 사주의 기준은 일간인데, 가장 중요한 자리는 월지라는 말은 그 자체로 모순을 안고 있는 것이다.

두 번째는, 일간과 월지의 거리가 가깝지 않다는 데 있다. 월지를 사주의 중심축으로 판단하는 사람들도 일간이 사주의 기준이고, 팔자의 요체임을 부정하지 않는다. 오히려 일간과 월지의 관계를 부각해 사주를 판단한다. 그런데 문제는 정작 일간과 월지는 거리로 보면 서로 가깝지 않다는 것이다.

	시주	일주	월주	연주
천간	戊 무토	戊 무토	丁 정화	甲 갑목
지지	午 오화	申 신금	卯 묘목	戌 술토

예시에서 일간의 무토와 월지의 묘목을 가깝다고 볼 수 있을까? 일간인 무토는 일지인 신금, 그리고 월간인 정화와 훨씬 의미 있는 관계를 가진다.

사주팔자의 도표에서 일간을 기준으로 할 때 월지는 대각선에 위치해 있다. 일견 가까워 보이지만, 실제로는 결코 가까운 거리가 아니다. 앞서 언급한 것처럼, 가장 가까운 거리는 바로 한 주를 이루는 간지, 즉 간지 안의 천간과 지지의 거리다. 두 번째로 가까운 거리는 바로 옆에 놓인 천간들과의 거리•이다. 세 번째로 가까운 거리는 바로 옆에 놓인 지지들과의 거리이다.

비유하자면 대각선의 거리는, 나와 내 친구의 배우자와의 관계로 볼 수 있다. 나와는 한 다리 건너서 알고 지내는 관계인 것이다. 본질적으로 나와 직접 관계 맺는 것이 아니다.

정리하면, 일간을 기준으로 가장 가까운 거리는 일지이고, 두 번째로 가까운 거리는 월간과 시간이며, 세 번째로 가까운 거리는 월지와 시지가 된다. 만약 기준이 일지라면, 일지와 가장 가까운 거리는 일간이고, 두 번째로 가까운 거리는 월지와 시지이고, 세 번째로 가까운 거리가 월간과 시간이 된다.

이렇듯 일간과 월지의 거리는 결코 가깝지 않다. 멀리 떨어져 있는 간지는 서로 영향을 주고받는 데 제한이 있을 수밖에 없다. 시간과 연간이 아주 멀리 떨어져 있어 서로 미치는 영향

• 두 번째로 가까운 거리가 천간들과의 거리고, 세 번째가 지지들과의 거리인 이유는 천간은 순수한 하나의 요소로 이루어져 있고, 지지는 여러 요소로 이루어져 있기 때문이다. 지장간끼리 2 : 3 혹은 3 : 3을 이루는 관계보다 1 : 1의 관계가 훨씬 친밀하고 직접적인 건 자명하다.

력이 적은 것도 이런 이유에서다. 이미 사주팔자 전체가 하나로 융합된 기운인데 왜 거리의 문제가 그토록 중요하냐고 물을 수 있는데, 거리는 주기와 관련이 있기 때문이다. 주기가 다르다는 것은 본질과 방향성이 다르다는 의미다. 주기의 차이가 클수록 그만큼 이질적인 상황에 놓이는 것이다. 2시간 단위로 바뀌는 기운과 1년 단위로 바뀌는 기운은 그 간격만큼 서로에서 낯설다. 같이 융합되어 있지만 동시에 낯선 기운인 것이다.

그런데도 월지가 중요한 이유는 일지, 그리고 월간과 밀접하게 관련을 맺고 있기 때문이다. 위에서 살펴보았듯이 일지와 월간은 일간과 아주 긴밀한 관계를 맺고 있는 간지이다. 즉, 나는 내 친구(월간)의 배우자, 내 배우자(일지)의 친구의 영향을 많이 받을 수밖에 없다. 나와 직접적인 관련은 없지만, 내 배우자를 흔들 수 있고, 내 친구를 괴롭힐 수 있는 대상이 바로 월지이기 때문이다.

이처럼 월지는 일간의 근간에 간접적으로 작용하는 힘이다. 일간의 뿌리를 뒤흔들 수 있는 힘인 것이다. 월지는 인간 잠재력의 뿌리다. 심리, 직업, 대인 관계 모든 측면에서 타고난 잠재적인 힘을 상징하며, 보이지 않는 곳에서 강한 영향을 미치는 무의식을 주관하는 자리다.

월지는 일간에 직접적으로 영향을 미치는 자리가 아니므로, 오행보다는 십신으로 해석하는 것이 효과적이다. 예를 들어 월지에 오행 수 정관이 놓여 있으면, 수에 해당하는 잠재의식을 갖고 있다고 해석하는 것보다는 정관에 해당하는 무의식이 강하게 작용한다고 해석하는 것이 좋다. 즉 정관적인 태도를 타고났고, 심연에서 꾸준히 정관의 목소리가 들려온다고 볼 수 있다.

월간과 마찬가지로 월지도 주기의 관점으로 보면 일간의 상위 주기에 해당하는 자리이다. 부모나 환경으로부터 타고난 힘을 뜻한다. 다만 월간이 겉으로 선명하게 드러나는 환경의 요소라면, 월지는 잘 드러나지 않고 감추어진 환경의 요소이다. 월간을 해석할 때처럼 월지의 요소를 직접적으로 부모나 환경에 적용하는 것은 섣부른 해석이다. 예를 들어 월지에 정관이 있다고 해서 부모가 정관적인 태도를 갖추었다거나, 부모가 정관적인 태도를 주입했다고 보는 것은 과도한 해석이다. 월지가 정관이라면 어떤 부모를 만났든 어떤 환경을 거쳤든지 스스로가 정관적인 방식으로 세상을 바라본다고 해석하는 것이 타당하다.

월지와 영향력

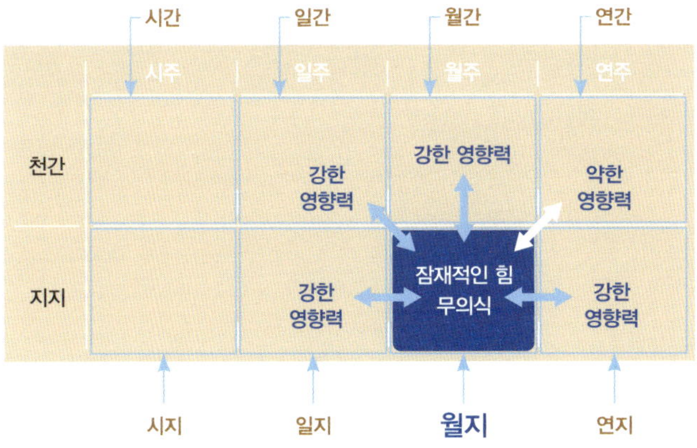

안정적인 양육 조건에서 자랐다면, 온유하고 온전하게 정관을 추구하는 무의식이 형성될 것이고, 불안정한 양육 조건에서 자랐다면 거칠고 투박하게 정관을 추구하는 무의식이 형성될 것이다. 월지의 정관은 '정관의 무의식'이라는 점은 같지만, 환경에 따라 형성되는 방식이 달라질 수 있는 것이다.

일주

일주는 사주의 네 기둥 중 가장 중요한 기둥이다. 왜냐하면 사주의 요체이자 기준이 되는 일간이 거처하는 곳이기 때문이다. 일주가 왕의 자리이고, 일주 자체가 왕이 포함된 하나의 간지이므로, 일주를 통해서 그야말로 한 사람의 본질을 통찰할 수 있다. 연주가 사람을 규정하는 큰 울타리라면, 월주는 사람을 둘러싼 잠재성의 테두리이며, 일주는 사람 그 자체, 사람이 딛고 선 무대라고 볼 수 있다. 사주 중 가장 강하게 스포트라이트를 받는 곳이 일주이다. 일주의 강한 영향력을 무시할 수 없다. 일주를 통해 개인의 성향과 특성, 삶의 지향과 풀어야 할 숙제, 현실적인 욕망을 선명하게 확인할 수 있다.

일간

일간은 곧 그 사람이다. 천간에 주목하고 천간을 자세히 연구해야 하는 이유는 우리의 본질을 규정하는 자리가 바로 일간, 즉 천간이기 때문이다. 일간이 무토라면, 무토가 그 사람이다. 결국 그 사람은 본질적으로 무토처럼 살아야 하고, 살 수밖에 없다. 반대로 말하면 일간이 무토인 사람은 무토의 방식으로 살아갈 때 가장 행복하다는 것이다. 무토의 이상을 실현하기 위해 평생을 분주하게 노력한다. 노력의 과정이 어떠한지를 결정하는 것이 나머지 일곱 글자이다.

일간과 영향력

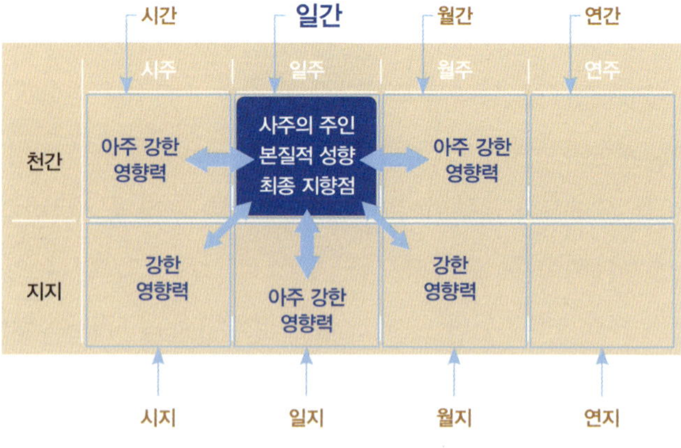

일지

일지는 일간의 뿌리가 되는 자리이자 일간의 파트너이다. 하나의 간지는 이미 하나로 통합된 기운이기에, 일간과 일지는 떼려야 뗄 수 없는 관계이다. 일지는 일간의 처지를 관장하는 가장 중요한 자리이다. 일간은 일지의 영향력에서 자유로울 수 없다. 일지는 일간의 '평생 파트너'라는 수식어 이외의 다른 수식어가 필요하지 않다. 그만큼 일지는 간결하면서도, 단순하고 명확하게 중요한 자리이다.

일간과 일지는 형제자매나 쌍둥이처럼 항상 함께 동거하면서 실시간으로 작용한다. 일지는 현실적인 힘, 실제 삶을 좌우하는 태도로 볼 수 있다. 월주가 잠재성의 힘이자 밑바탕이 되는 힘, 환경적인 조건에 해당한다면, 일지는 실제의 힘이자 현실의 힘, 실제 조건에 해당한다.

일지에 관성이 있다면, 현실적으로 관성의 영향력에서 절대 자유로울 수 없음을 암시한다. 뿌리에 관성이 놓여 있고, 현실적인 조건이 관성이므로 관성의 영역(공적 체계·조직의 힘, 규정하는 힘)에 놓여 있을 때 마음이 편하다. 무슨 일을 하든 관성의 방식으로 하는 것이 몸에 맞다. 일지에 관성이 놓인 사람은 직장이나 가정(부부 관계)의 테두리에서 벗어나면 그 상황을 견딜 수 없어 한다. 다시금 관성이라는 규정과 억압의 장으로 복귀하기를 강렬하게 소망한다. 뿌리가 흔들리는 상황에서 나무는 제대로 서 있을 수 없는 법이다.

일지에 인성이 있다면, 실제로 인성의 영향력에서 벗어날 수 없다. 꾸준히 그리고 직접적으로 인성의 조건으로 자신을 몰아간다. 누군가에서 아낌없는 지원을 받고, 이를 바탕으로 누군가를 끊임없이 돌보는 상황을 스스로 만들어 내야 비로소 편안해진다.

특히 일지는 직업 및 배우자와 직접적인 관계가 있다. 일간은 일지가 의미하는 조건에 놓여 있을 때 가장 안락하고 편안하다. 이렇듯 날마다 해야 하는 일(직업), 날마다 맺어야 하는 관계(배우자)는 일지와 큰 관련이 있다. 구체적인 예를 들면 일지에 비겁이 있다면, 주체성과 재량권을 한껏 발휘하는 직업에 종사해야 마음이 편하다. 배우자와는 친구처럼 평등할 때 행복하다. 일지에 식상이 있다면, 표현력과 활동력이 확보되는 직업에 종사할 때 비로소 만족할 수 있다. 배우자와도 서로 거침없이 의견을 주고받을 수 있는 관계가 형성되었을 때 최상의 행복감을 누릴 수 있다. 일지에 재성이 있다면, 현실적이고 구체적인 목표를 쟁취해 내는 직업에 종사해야 직성이 풀린다. 배우자와의 관계에서는 내가 배우자를 끊임없이 제어하고 간섭하는 상황에 놓여야 한다. 일지에 관성이 있다면, 공적 체계를 갖춘 조직에 종사했을 때 편안해진다. 배우자와의 관계에서는 배우자의 간섭과 통제에 놓여 있을 때 오히려 마음이 놓인다. 일지에 인성이 있다면, 베풀고 봉사하는 직업 환경에서 행복해한다. 배우자와의 관계에서는 어머니 같은 배우자를 만났을 때 만족스럽다. 배우자에게 포근한 정서적인 안정을 기대하는 것이다.

일지를 놓고 직업, 배우자와의 관계를 유추할 때 유념해야 할 것은, 일지와 길흉은 관련이 없다는 점이다. 일지에 관성이 있을 때, 길흉의 차원에서 보면 관성이 불리한 기운이더라도, 이 사람은 관성을 추구할 수밖에 없다. 일지가 한 사람을 규정하는 가장 직접적이고 현실적인 자리이기 때문이다. 길흉과 무관하게 그 방향성대로 살아야 직성이 풀리는 것, 그것이 바로 일지 자리가 가진 진정한 의미이다. 인간은 일간의 주변에 놓인 힘을 쓰고 살아야 하고 어떤 방식으로든 쓸 수밖에 없다.

사주팔자 도표를 보면, 연지의 경우 오른편에 다른 기운이 놓여 있지 않고, 시지의 경우도 왼편에 다른 기운이 놓여 있지 않다. 하지만 일지와 월지는 양쪽에 다른 기운들이 놓인다. 양쪽에 놓인 기운들과의 관계는 일지와 월지의 상태를 규정하는 매우 중요한 요소이다. 가장 유심히 살펴야 할 것은 일지와 월지가 서로 충돌하는 관계이다. 잠재적인 환경 조건을 의미하는 월지와 현실적인 실제 조건에 해당하는 일지의 관계가 서로 불편하다면 안정적인 삶이 어렵다. 극단적인 기운, 이를테면 자수와 오화, 해수와 사화, 묘목과 유금, 인목과 신금이 일지와 월지에 놓여 있다면 아무래도 삶에 큰 변화와 변동이 생길 수 있다. 수와 화의 충돌은 정신적인 변화, 목과 금의 충돌은 신체적인 변화를 암시한다. 이런 경우, 변화의 힘을 직업적으로 풀어내는 것이 바람직하다. 이동을 많이 하는 직업이나 끊임없이 변화를 시도해야 하는 직업군에 종사한다면 변화의 힘을 긍정적으로 활용할 수 있는 것이다. 지축을 흔드는 놀이기구 위에서는 가만히 버티는 것보다 변화에 맞춰 춤을 추는 것이 현명한 선택이다.

월지와 일지의 충돌 이외에도 일지와 시지의 충돌, 월지와 연지의 충돌도 예의 주시할 필요가 있다. 월지와 연지의 충돌은 근원에 해당하는 자리가 흔들리는 것이므로 환경의 변화, 내면의 변동을 암시한다. 일지와 시지의 충돌은 현실과 지향하는 미래에 해당하는 자리가 흔들리는 것이므로 발전과 이상을 추구하는 데 변화가 많음을 암시한다.

일지와 영향력

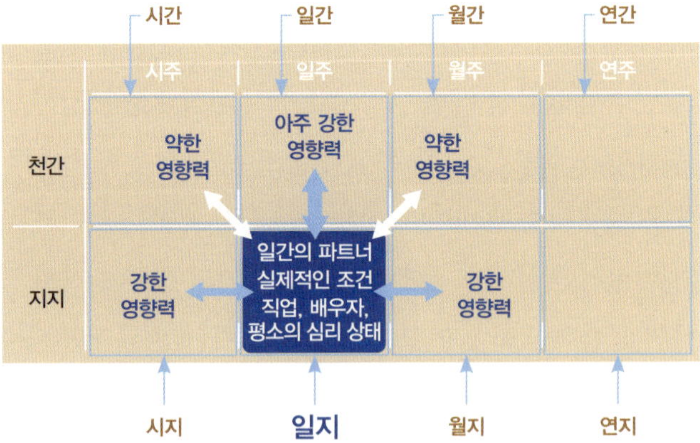

시주

시주는 주기의 관점에서 보면 가장 작은 범위의 기운이다. 2시간마다 바뀌는 기운이니, 가벼우면서 선명하게 눈앞에서 아른거리는 기운이다. 즉 짧은 시간에 강렬하게 영향을 미치는 기운이 시주의 본질이다. 시주는 월주처럼 일간의 바로 옆에 있기 때문에 일간에게 큰 영향력을 행사한다. 산술적으로 월주와 일주의 주기가 30배 차이가 난다면, 일주와 시주의 주기는 12배밖에 차이가 나지 않는다. 그러므로 시주는 월주보다 거의 3배에 가까운 영향을 미친다고 볼 수 있다.

시주의 특이성은 일간과는 거리가 가깝지만 주변에 다른 기운이 없다는 점이다. 월주도 일간과 가까운 자리이지만, 월주는 도표상 오른편에 연주가 있다. 월주는 일주와 연주 사이에 끼여 있어서 책임져야 할 힘이 많고, 따라서 영향력도 사방으로 뻗쳐져 있다. 월주가 중요한 이유는 일간의 바탕이 되고, 영향력을 행사할 수 있는 중심의 자리에 놓여 있기 때문인 것이다.

그런데 시주의 경우 도표상 왼쪽에 다른 기운이 없다. 물론 우리가 체계화하지 못한 더 세분화한 단위, 이를테면 '분주, 초주'가 있지만 사주의 기본 체계를 오주, 육주까지 확장하는 것은 다른 연구자들의 몫으로 남긴다. 일간과 매우 가까운 거리에 놓여 있지만 주변에 다른 기운이 없다는 것은 무엇을 의미하는가. 바로 시주는 순수하고 단일하게 쓸 수 있는 최적의 기운이 될 수 있다는 것이다. 월주에 비해 시주는 아무 거리낌 없이 쓸 수 있는 훌륭한 도구이다.

월주를 부모의 자리로 보는 관점을 확장하면, 시주는 자녀의 자리가 된다. 주기적으로 월주가 일간을 낳았고, 일간이 시주를 낳았기 때문이다. 하지만 이러한 해석은 사주의 자리를 가족관계에 억지로 끼워 맞추는 논리에 불과하다. 사주의 기운은 연월일시를 거치면서 더 구체적이고 세분화되는 것일 뿐이다. 일주의 주기보다 시주의 주기가 작다는 이유로 시주를 일간의 자녀로 보는 것은 논리의 비약이다.

시주의 핵심은 미래를 지향한다는 점이다. 시주는 일간에서 한 단계 더 나아간 기운이다. 주기가 일간보다 작고 선명하기 때문에 일간은 시주를 지향하고, 시주의 방향성을 근거로 삶을 이끌어 나간다. 시주는 일간의 이마 바로 앞에서 아른거리며 일간을 이끌어 나간다.

시간

시간은 일지를 제외하고 가장 중요하게 눈여겨봐야 할 자리이다. 월간과 시간 모두 중요하지만, 월간보다 시간이 더 중요한 이유는 월간은 연간과도 관계를 맺고 있기 때문이다. 관계가 복잡해질수록 선명도와 집중도가 떨어진다. 월간 입장에서는 신경 써야 할 것이 많기 때문에 시간에 비해 독자적으로 강인하게 힘을 드러내기가 어렵다. 반면 시간은 일간과 가장 가까운 위치에 있고, 일간처럼 천간인 데다 일간을 제외하고는 주변에 신경 써야 할 기운이 없다. 오로지 일간의 도구로 충성을 다하는 것이 바로 시간이다. 시간은 사람이 써야 할 가장 주요한 삶의 도구다. 또한 심리 및 직업과 아주 밀접한 관련이 있다. 비유하자면 시간은 사람의 오른팔과 같다. 시간이 길하냐 흉하냐를 떠나서 일간은 시간을 쓰게 되어 있고, 쓰면서 큰 행복을 느낀다.

시간이 목 기운이라면, 목 기운을 적극적으로 쓰는 직업군(제조, 교육, 인문학, 창작 분야)에 종사할 가능성이 크다. 시간의 십신이 편인이라면, 톡톡 튀고 즉흥적인 성향이 강하게 드러나며 편인과 어울리는 직업인 종교, 예술, 특수 분야(예: 장례나 화약 제조 분야), 미용 관련 분야에 종사할 가능성이 크다. 시간에 상관이 놓여 있다면, 논리적으로 자기주장을 펴거나 부당한 것에 반발하는 성향이 잘 드러난다.

시간은 주기의 관점으로 볼 때 일간의 하위 주기에 해당하는 자리이기에 사용하면서 발전하는 능력•을 의미한다. 월간은 이미 주어져서 익숙하게 사용할 수 있는 도구라면, 시간은 사용하는 과정을 통해 크게 성장시키는 도구이다. 시간을 해석할 때도 오행과 십신을 같이 고려해야 하는데, 시간에 금 기운이 있다면 평생 냉철하고 결과를 중시하는 방향으로 자신을 발전시킬 가능성이 크다. 비겁의 힘이 강할 경우에는 동료와 협업하면서 성장하는 삶을 목표로 삼을 것이다.

시간과 영향력

• 선천적으로 타고난 능력이 아니라, 키워 가는 능력을 말한다. 글쓰기가 대표적인 예다. 글을 쓸수록 실력이 느는 걸 연상하면 된다.

시지

시지는 두 가지 관점으로 살펴볼 수 있다.

첫 번째 관점은, 시지는 월지와 더불어 조후•를 담당하는 자리라는 것이다. 월지가 계절에 대한 대략적인 정보를 준다면, 시지는 구체적인 시간을 알려 주는 자리이다. 시지를 통해서는 직관적인 기온 정보를 얻을 수 있다. 예를 들어 같은 날 자시에 태어난 사람과 오시에 태어난 사람이 있다면, 오시에 태어난 사람의 사주에 양기가 더욱 충만함을 알 수 있다. 조후라는 말이 애매한 것에서도 알 수 있듯이 시지를 통해 알 수 있는 정보는 제한되어 있기 때문에 그 정보를 가지고 사주 전체의 형세를 판단해서는 안 된다. 오시에 태어났으니 화 기운이 많다, 양기가 많다고 단순하게 판단을 내려서는 안 된다는 말이다. 시지는 시간을 알 수 있게 하는 자리이지만, 사주팔자 여덟 자리 중 하나일 뿐이다. 월지와 시지만을 조합해서 사주를 판단하는 것도 섣부른 행위일 수 있다. 오월, 오시에 태어났어도 천간과 일주에 수 기운이 충만하다면, 이 사주는 음양이 치우친 사주가 아니라 오히려 균형 잡힌 좋은 사주이다. 다만 다른 요소를 전혀 알 수 없고 오직 태어난 달과 시간만으로 사주를 판단해야 한

• 조후는 기후의 조화라는 뜻이다. 계절(춘하추동)과 시간(새벽, 아침, 점심, 저녁, 밤)을 의미하는 말이다. 겨울 밤에 태어났다면 조후가 추운 것으로, 여름 낮에 태어났다면 조후가 뜨거운 것으로 판단한다. 사주의 조후는 월지와 시지를 통해 판단할 수 있다. 월지와 시지는 태어난 달과 시를 의미하기 때문이다.

다면, 예를 들어 태어난 달과 시가 자월 축시라거나 오월 사시라면, 음양의 기운이 치우쳐 있을 가능성이 크므로• 길흉과 성향을 지레짐작하는 데 도움은 될 수 있겠다. 하지만 이런 방식의 지레짐작이 무슨 도움이 될 수 있을까.

두 번째, 시지는 시간의 뿌리가 되는 자리이자 시간의 파트너라는 관점이다. 시간은 아주 중요한 요소이고, 가장 눈여겨봐야 하는 자리이다. 시지와 시간은 하나의 묶음, 즉 떼려야 뗄 수 없는 하나의 쌍이므로 시지는 시간에 직접적으로 영향을 미치는 자리이다. 일간의 오른팔인 시간은 시지의 영향력에서 절대 자유로울 수 없다. 시지와 시간의 관계가 한 사주의 미래의 길흉을 예견한다. 만약 시간에 중요한 요소 즉 용신이 놓여 있는데, 시지가 시간을 극한다면, 용신이 능력을 발휘하기 어렵다. 반면 시간에 놓인 기운이 사주의 기운을 한쪽으로 치우치게 만드는데, 시지에서 시간을 극한다면 부정성이 줄어든다.•• 이이제이, 적의 적으로 적을 제압하는 형국이다.

좋은 구성은 시간에 좋은 기운이 놓이고 시지에서 이 기운을 도와줄 때이다. 미래에 해당하는 자리이자 일간의 오른팔에 해당하는 자리인 시간에 좋은 요소가 놓인 것만으로도 아름다운

• 자월은 겨울인데 축시도 매우 추운 시간대이기 때문에 기운이 기울어져 있다고 보는 것이다. 오월 사시도 마찬가지다. 오월이 여름인데 사시도 매우 뜨거운 시간대이다.

•• 예를 들어 사주에 화 기운이 강한데 시간에 목 기운이 있으면, 이 목 기운은 좋지 않은 요소이다. 목이 화를 생해 사주 기운이 더 치우치게 하기 때문이다. 이런 사주에서 시지에 금 기운이 있다면, 이 금 기운이 시간의 목 기운을 극해 사주의 균형에 도움을 준다.

상황인데, 시지가 이 요소를 생하고 있거나, 뿌리가 되어 주고 있다면 최고로 볼 수 있는 것이다. 이런 사주를 가진 사람은 미래를 개척하는 데 불편함이 없다.

일지는 현실을 살아가는 토대가 되는 자리이고, 시지는 미래를 개척하는 토대가 되는 자리다. 이런 관점에서 보면, 일지와 시지의 충돌(예: 인목과 신금, 사화와 해수) 혹은 한쪽이 한쪽을 극하는 상황(예: 묘목과 유금, 자수와 오화)은 유심히 살펴야 한다. 일지와 시지 사이에서 충이 일어나고 있다면 현실과 개척할 미래 사이에서 갈등이 많음을 암시한다.

또한 일지가 시지를 극한다면, 현실의 요건이 미래를 개척하는 데 방해가 된다고 볼 수 있다. 시지가 일지를 극한다면, 개척하려는 미래가 현실의 요건을 흔들고 있다고 볼 수 있다. 일지와 시지에 큰 변동이 없는 경우(같은 오행이거나 생하는 관계일 경우) 현실의 상황을 토대로 원만하게 미래로 나아갈 수 있게 된다.

시지와 영향력

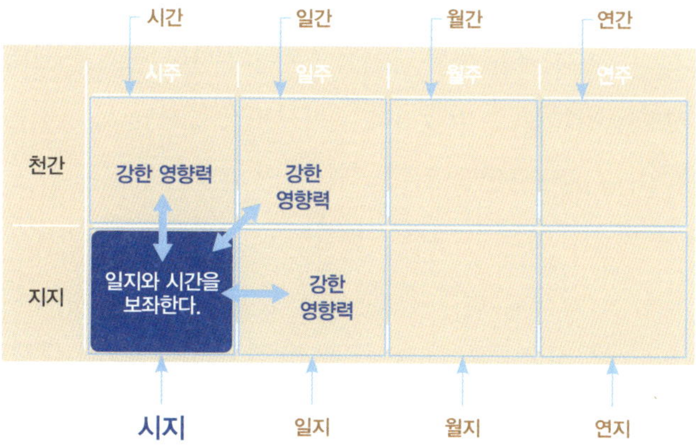

T존

사주의 기준은 일간이고, 일지는 일간의 뿌리가 되므로 중요하다. 또한 월지는 일지와 더불어 사주의 뿌리 역할을 하는 자리이므로 중요하다. 따라서 사주에서 가장 중요한 자리를 꼽으라면 일간, 일지, 월지이다. 이 직각삼각형 안에서 사주의 전체 그림이 거의 그려진다고 볼 수 있다.

하지만 T존 역시 무시할 수 없다. T존은 일간을 중심으로 하는 T자형의 자리를 말한다. 즉 월지를 제외하고 일간, 시간, 월간, 그리고 일지로 구성된 자리를 T존이라 한다. 월지를 제외하고 사주를 판단할 수 있겠느냐는 비판도 있겠지만 오히려 심리와 직업, 길흉의 판단에 T존은 핵심적인 역할을 담당한다.

사주의 기준이 되는 일간이 천간이고, 일간과 가장 연관이 깊은 천간이 시간과 월간이다. 일간이 뿌리로 삼는 것은 바로 일지이다. 사주의 기준이 일간이므로, 일간과 직접적으로 상호 작용을 하는 T존에서 많은 암시를 얻을 수 있는 것은 당연한 이치이다.

T존은 마치 인간이 서 있는 형국인데 월간은 왼팔, 시간은 오른팔, 일지는 서 있는 발판이자 무대로 볼 수 있다. 사람은 시간과 월간이라는 도구를 사용해 끊임없이 일지와 상호 작용(일종의 스파링)을 하면서 자신을 규정해 나간다. 만약 시간에 정인이, 월간에 상관이 있는 사람이 일지에 편관을 끼고 있다면, 이 사람은 편관의 환경에서 일을 하되, 책상에는 책이 올려져 있고, 부당한 상황에서는 거침없이 자신의 의견을 표출한다. 편관의 압박에서 벗어나기 위해 종교 행사(인성)에 참석하는 한편 창의적인 방식으로 자신의 취미 생활(상관)을 향유한다. 회사(편관)에서는 홍보와 마케팅(상관) 관련 업무에 종사했을 때 크게 성취할 수 있다. T존 하나로 편관이라는 무대에 올려진 사람이 정인과 상관을 도구로 쓰는 다양한 상황을 상상할 수 있는

T존

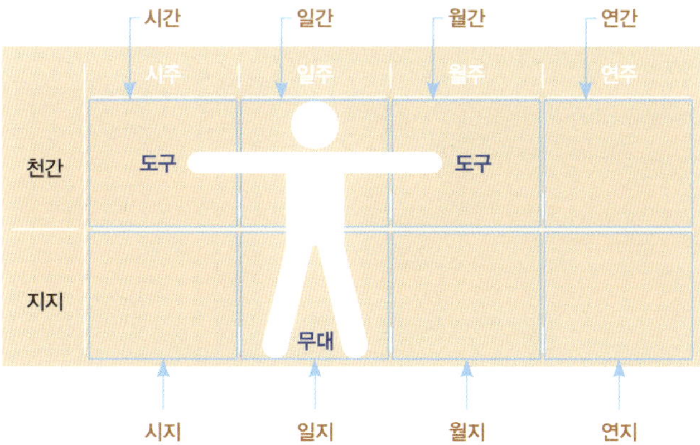

것이다.

무대의 상황을 더 보려면 일지의 좌우 글자를 보면 되고, 도구의 상황을 보려면, 시간과 월간의 아래, 즉 시지와 월지를 보면 된다. 즉 월지나 시지가 일지를 극하는 형국이라면 서 있는 무대가 불편하고, 월지나 시지가 월간과 시간을 극하는 형국이라면 도구를 제대로 쓰기 어려움을 암시한다.

거리의 작용

사주 안의 여덟 개 기운을 나눌 수 있느냐, 하나의 기운이 독립적으로 작용할 수 있느냐를 판단하는 것은 중요한 문제이다. 이를테면 시간과 연간에 관성이 있는 여성의 사주를 보고 관성이 둘이니 남편이 둘이냐, 연간의 관성은 20대에 만나는 남성이고, 시간의 관성은 60대에 만나는 남성이냐는 질문에 어떻게 답해야 할까? 이 질문은 지극히 세속적이지만, 참으로 근원적인 질문이다.

여기서 다시 짚고 넘어가야 할 것은, 인간이 타고난 기운은 태양과 지구의 관계에서 비롯된, 하나로 뭉쳐진 기운이라는 점이다. 태양과 지구는 매 순간 관계를 맺고 있고, 그 관계가 우리 삶에 각인되어 삶을 이끌어 나간다. 당연히 그 관계는 쉽사리 파악할 수도, 수량화할 수도, 기호화할 수도 없다. 하나로 뭉쳐져 있기 때문이다. 다만 다행스럽게도 지구는 규칙적으로 태양 주변을 회전하기 때문에, 그 규칙에서 실마리를 얻어 만세력을 구성하고, 만세력을 바탕으로 인간에게 주어진 기운을 사주팔자라는 기호와 도식으로 나타낼 수 있었다. 미시적인 수준에서만 겨우 판단할 수 있는 추상적인 기운을 겨우 기호로 포착한 것이 사주이다.

사주의 기운을 떠올릴 때는 항상 이 사실을 염두에 두어야 한다. 사주의 개별 기운은 독립적으로 떨어져 있는 것처럼 보이지만 실제로는 하나로 뭉쳐진 기운이라는 것 말이다. 실제로는 전체가 하나로 작용을 하는데, 이를 포착하고 이해하기 위해 인간이 억지로 나누어 놓은 것뿐이다. 따라서 개별 간지에 과도하게 독립적인 의미를 부여하는 것은 피해야 한다. 관성이 두 개 있다고 해서 남편이 두 명이 되거나, 인성이 두 개니 어머니가 두 명이 되는 것은 아니다. 관성이 두 개라면, 관성의 기운이 강하며, 관성의 기운을 다채롭게 쓸 수 있음을 암시한다. 마찬가지로 재성이 세 개라면 재성의 기운이 강하게 작용하는 사주이고, 재성의 욕망이 다른 사람에 비해 과하게 넘실거리고 있음을 암시한다. 물론 재성과 관성이 많으면 이성 관계에 놓일 확률이 커져 재혼의 가능성이 높지만, 이는 숫자의 문제가 아니라 욕망의 크기 문제로 봐야 한다. 배우자를 향한 욕망이 큰 사람은 아무래도 결혼 제도를 통해 통해 자기 삶을 완성하려는 경향이 강하다.

개별 기운이 강하냐 약하냐 혹은 기운들 간의 관계를 따지기 위한 다양한 방법론이 있다. 그중 가장 중요한 방법론이 바로 거리로 따지는 것이다. 이를테면 시간과 연간에 놓인 기운이 서로 얼마만큼 영향을 주고받느냐의 문제이다. 연월일시가 실제로는 주기와 깊게 관련되어 있다는 관점에서 보았을 때는, 연주 주기와 일주 주기가 무려 365배 차이가 나므로, 즉 거리가 멀면 주기가 크게 달라지므로 영향력이 크게 떨어진다.

우리를 이끄는 기운은 하나로 뭉쳐져 있지만, 만세력과 사주팔자의 도표 근간은 주기성이므로 개별 기운 간의 거리는 아주 예민하게 다루어야 한다. 일단 거리가 멀면 영향력이 크게 떨어진다. 영향력이 큰 순서대로 나열하면 다음과 같다.

가장 영향력이 큰 거리는 바로 음양의 짝이 되는 천간과 지지 사이다. 이를테면 일간은 일지, 월간은 월지에게 가장 큰 영향을 미친다.

두 번째는 천간의 경우 바로 옆에 붙어 있는 천간과의 사이다. 천간이 순수한 하나의 기운인 데다 주기적으로도 근접하기 때문이다.

세 번째는 지지의 경우 바로 옆에 붙어 있는 지지와의 사이다. 전체 사주에 미치는 지지의 영향력이 천간에 비해 떨어지는 이유는 지지는 여러 기운이 복합적으로 섞여 있기 때문이다. 아무래도 한 가지 기운만 작용하는 것에 비하면 순수성이 떨어진다.

네 번째는 일간과 월지, 시지와 일간, 일지와 월간, 월지와 연간 등 대각선 사이다. 이들은 서로에게 간접적인 영향을 미친다.

다섯 번째는 좌우로 두 칸 떨어진 사이다. 즉 시간과 월간, 시

거리와 영향력

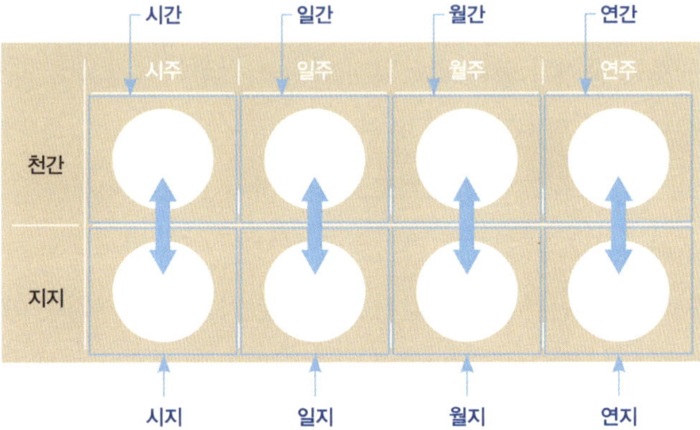

❶ 천간과 지지 사이

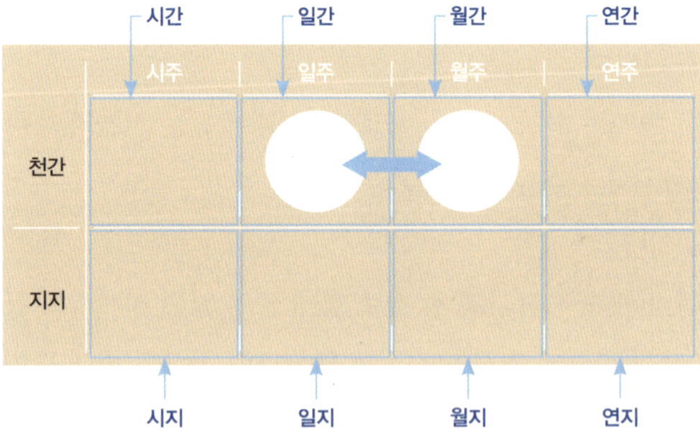

❷ 바로 옆 천간과의 사이

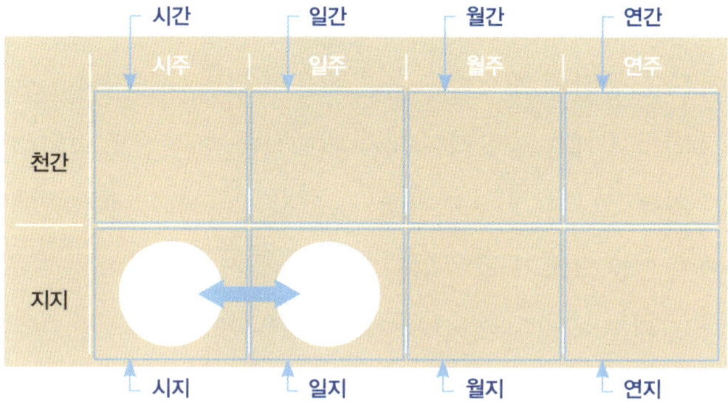

❸ 바로 옆 지지와의 사이

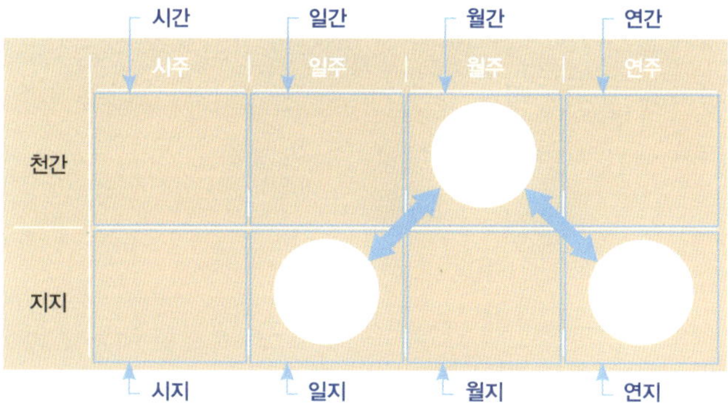

❹ 대각선 사이

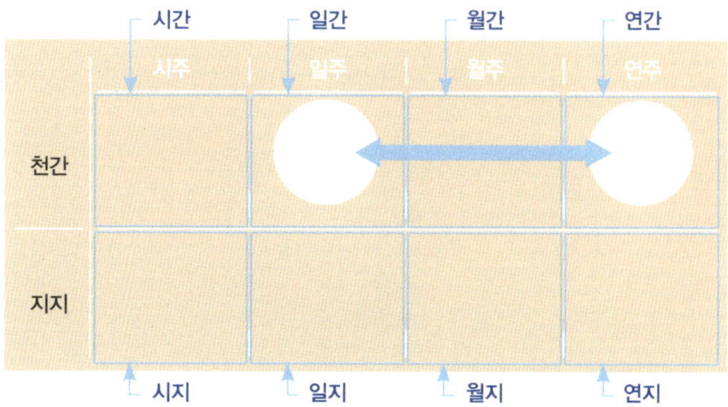

❺ 좌우로 두 칸 떨어진 사이

지와 월지, 연간과 일간, 연지와 일지의 거리다. 영향력이 매우 떨어진다. 중간에 매개하는 다른 기운이 있기 때문이다.

그 외의 관계는 영향력이 아주 미미하다. 대각선으로 멀리 떨어진 경우, 그리고 좌우로 세 칸 떨어진 경우이다. 예를 들어 시간에 중요한 요소가 놓여 있는데, 연간에 시간을 극하는 기운이 있다고 해도, 극의 부정성이 거의 드러나지 않는다. 월지에 중요한 요소가 있을 때도 이 기운이 시간과 서로 긴밀하게 소통한다고 하기는 어렵다. 월지와 시간 사이는 너무나 머나먼 거리이기 때문이다.

정리하면, 위아래가 가장 긴밀한 관계이고, 그다음이 좌우, 대각선 순이다. 그 외는 영향력이 아주 적다.

통근과 투간(투출)

앞의 왕상휴수사의 이론에서 다룬 대로 어떤 천간이 있을 때 지지에 그 천간을 도와주는 지지가 있다면, 그 천간의 힘은 강력해질 것이다. 지지의 경우도 마찬가지다. 천간에서 지지에게 도움을 주면, 지지의 힘 역시 강력해질 것이다. 천간과 지지는

❶ 천간 입장에서는 지지에 비겁이 있으니 편안하다.

	시주	일주	월주	연주
천간		기준 甲 갑목	丙 병화	
지지		寅 인목	寅 인목	

갑목은 일지와 시지의 인목에 의해 강한 힘을 얻는다.

❷ 천간 입장에서는 지지에 관성의 기운이 있으니 부담스럽다.

	시주	일주	월주	연주
천간		기준 甲 갑목	丙 병화	
지지		申 신금	申 신금	

서로 힘을 주고받을 때 강해지고, 그렇지 못할 때 약해진다.

①, ②번 예시에서는 기준이 일간의 갑목이다. ①번의 사주는 일지와 월지에 오행 목이 깔려 있다. 같은 오행이 천간과 지지에 놓여 있으니 천간과 지지가 잘 호응한다. 갑목 입장에서는 내 편이 땅에도 있으니 참 편안하고 힘이 생기는 형국이다. 반면, ②번의 사주는 일지와 월지에 오행 금이 깔려 있다. 갑목이 극을 당하는 형국이다. 나를 극하는 오행이 지지에서 기다리고 있으니 갑목 입장에서는 참 부담스러운 상황이 아닐 수 없다. 갑목이 제대로 힘을 쓸 수 없는 것이다.

이번에는 기준을 바꿔서 지지의 입장에서 살펴보자. 기준이 지지일 때는 지장간의 요소를 잘 살펴야 한다. 지지를 기준으로 볼 때 지장간의 요소가 천간에 오면, 천간과 지지의 호응이 일어났다고 본다. ③번 예시의 경우, 인목의 지장간 중 병화와 갑목이 천간에도 놓여 있다. 인목의 입장에서는 자신의 구성 요

❸ 지지 입장에서는 천간에 병화, 갑목이 있으니 든든하다.

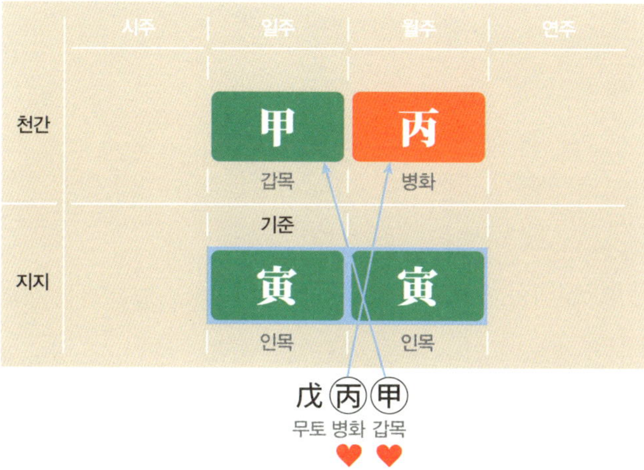

❹ 지지 입장에서는 천간에 임수와 경금이 없으니 외롭다.

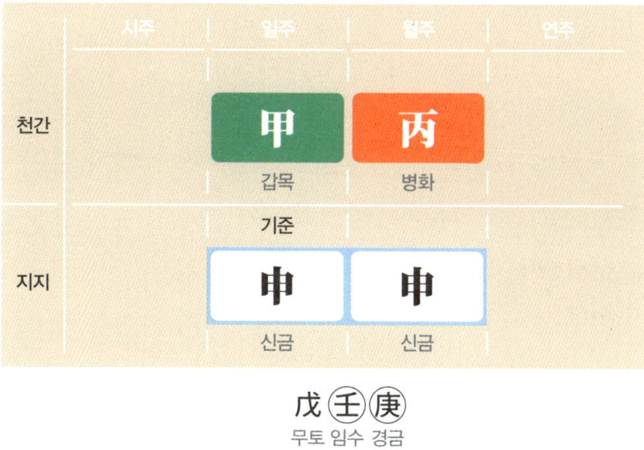

소가 천간에도 있으니, 더욱 힘이 나고 든든할 것이다. ④번의 예시에서는 신금의 지장간 중 어느 요소도 천간에 드러나 있지

않다. 신금은 자신의 구성 요소가 천간에 전혀 없으니, 참 외롭고 쓸쓸하다.

통근

이렇게 천간과 지지가 어떤 관계를 이루고 있는지를 정리하기 위한 용어가 있다. 바로 통근通根과 투간透干(혹은 투출透出)이다. 통근부터 살펴보자. 통근은 기준이 천간이고, '뿌리와 통하다'는 의미이며, 여기서 뿌리는 지지를 뜻한다. 통근은 천간이 지지에 뿌리를 내렸는가, 아닌가를 다룰 때 사용하는 용어이다. 구체적으로는 천간을 기준으로 삼아 지지에 천간과 같은 오행(비겁)이나 천간을 생해 주는 오행(인성)이 있을 때 해당 천간은 통근했다고 본다. 반면 지지에 천간이 생하는 오행(식상), 천간이 극하는 오행(재성), 천간을 극하는 오행(관성)이 있을 때는 통근했다고 보지 않는다. 당연히 통근한 천간은 힘이 강해지고, 통근하지 못한 천간은 약해질 것이다.

위치로 보면, 하나의 주 안에서 바로 아래에 통근한 경우가 가장 통근의 힘이 강하다. 가장 가까운 위치에 뿌리를 내리고 있기 때문이다. 바로 옆이 아닌 대각선 방향으로 통근한 경우에는, 통근의 위력이 훨씬 줄어든다. 수치로 따지기는 어렵지만 거의 4분의 1로 줄어든다. 대각선으로 두 칸을 건너서 통근하고 있다면 통근하지 않았다고 볼 수 있다. 지지의 초기, 중기, 정

통근하는 경우

하나의 천간은 지지에 인성이나 비겁이 있을 때 통근한다.
그 경우 천간의 힘이 강해진다.

통근하지 못하는 경우

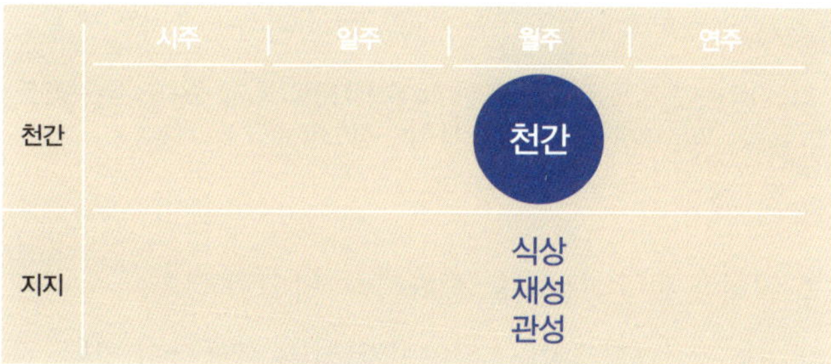

하나의 천간은 지지에 식상, 재성, 관성이 있을 때 통근하지 못한다.
그 경우 천간의 힘이 약해진다.

자리에 따른 통근의 영향력

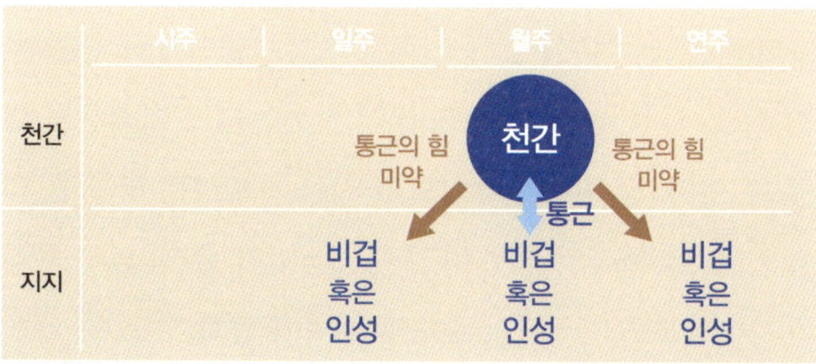

통근의 예시

갑진이라는 간지의 경우 천간의 갑목이 지장간의 초기, 중기에 통근했다.
따라서 진토는 갑목에게 절반 정도의 힘을 부여한다.

기 중 어디에 통근했는지도 중요하다. 당연히 정기에 통근한 것이 제대로 통근한 것이다. 통근의 위력은 지장간의 정기, 중기, 초기 순으로 줄어든다. 정기는 강한 뿌리, 중기는 미약한 뿌리, 초기는 아주 미약한 뿌리 정도로 정리할 수 있겠다.

십신의 작용으로 보면, 지지에 인성이나 비겁이 있을 때 하나의 천간은 뿌리를 내렸다고 볼 수 있는데, 인성이 강한 뿌리가 되는지 아니면 비겁이 강한 뿌리가 되는지에 대해서도 생각해 볼 수 있다. 힘의 작용(뿌리의 강약)을 구분하는 것은 큰 의미가 없고, 비겁 뿌리의 경우 왕성하고 굳건한 뿌리, 인성 뿌리의 경우 지속적으로 안정감을 주는 뿌리로 구분할 수 있다. 십신의 성향으로 뿌리가 가지는 힘의 특성을 파악한 것이다.

투간

다음은 투간透干(혹은 투출透出)이다. 통근이 천간을 기준으로 그 뿌리를 살펴본 것이라면, 투간은 지지를 기준으로 천간과의 관계를 살핀 용어이다. 투간의 투透는 '꿰뚫다, 투과하다'는 의미이다. '투'는 벼가 솟구치며 자라는 모습에서 비롯되었는데, 아래에서 위로 솟구치는 단어의 의미는 지지가 천간으로 솟아올라 소통하는 것과 맥이 잘 닿는다.

투간은 지지를 기준으로 삼을 때 지지가 천간과 연결되어 있는가 아닌가를 다룰 때 사용하는 용어이다. 통근의 경우, 십신(비겁과 인성)으로 통근의 여부를 따졌지만, 투간의 경우에는 지장간의 요소가 천간에 드러나 있을 때에만 투간으로 본다. 예를 들어 월지에 진토가 놓여 있을 경우, 진토의 지장간이 을목·계수·무토이므로, 천간에 을목이나 계수, 진토가 놓여 있을 때 이 지지는 투간을 한 것이다. 을목이 천간에 떠 있을 경우, 진토 안의 을목이 투간했다고 하기도 하고, 한자로 '진중을목'이 투간했다고 하기도 한다. 지지는 다양한 천간이 모여서 이룩된 것이므로, 그 다양한 요소 중 어느 요소가 천간의 선택을 받았는지, 승천했는지를 따지는 것이 투간의 핵심이다. 지지의 입장에서 천간과 투간한 요소가 있다면 그 요소는 더욱 강한 힘을 발휘

투간의 예시

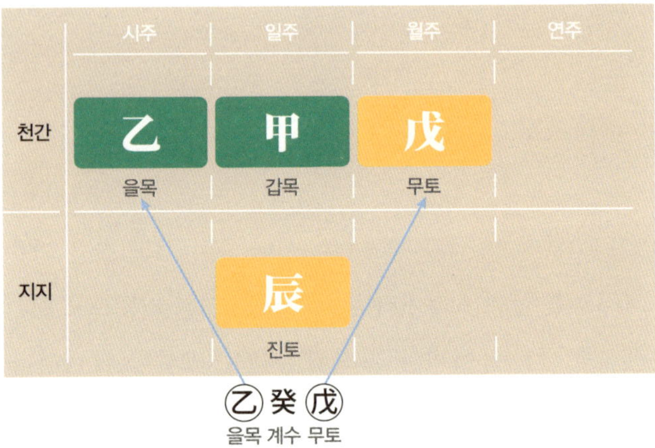

을목이 시간으로 투간했고, 무토가 월간으로 투간했다.

할 수 있을 것이다. 반면 하늘의 선택을 받지 못한 즉, 투간하지 못한 요소가 있다면 그 요소는 지지에만 머물러 그 힘을 제대로 쓸 수 없을 것이다.

위치로 보면, 하나의 주 안에서 바로 위 천간에 투간한 경우가 가장 투간의 의미가 강하다. 가장 가까운 위치에서 천간과 소통하고 있기 때문이다. 바로 옆이 아닌 대각선 방향으로 투간한 경우에는, 투간의 위력이 훨씬 약하다. 통근과 마찬가지로 거의 4분의 1로 줄어든다. 역시 대각선으로 두 칸을 건너서 투간하고 있다면 투간하지 않았다고 볼 수 있다. 지지의 지장간 초기, 중기, 정기 중 어느 것이 투간했는지도 중요하다. 당연히 정기가 투간한 것이 제대로 투간한 것이다. 투간의 위력은 지장간의 정기, 중기, 초기 순으로 약하다. 정기는 강한 투간, 중기는 미약한 투간, 초기는 아주 미약한 투간 정도로 정리할 수 있겠다.

지지의 지장간에 의미를 부여하면 투간을 좀 더 재미있게 이해할 수 있다. 지장간의 정기를 겉으로 드러나는 역량, 중기나 초기를 내면에 숨겨진 역량으로 볼 때, 정기가 투간했다면 겉으로 역량을 잘 드러낼 수 있음을 암시한다. 중기나 초기가 투간했다면 내면에 숨겨진 의외의 역량을 뽐낼 수 있음을 암시한다.

통근이나 투간 이론을 통해 우리는 사주원국에 놓인 개별 기운이 어떤 상황에 처해 있는지 확인할 수 있다. 즉 힘의 관점에서 사주원국에 놓인 개별 간지의 힘의 강약을 파악할 수 있는 것이다. 또한 사주원국의 기운들은 서로 긴밀하게 상호 작용을 하고 있음을, 이 상호 작용 안에서 하나의 기운은 비로소 의미를 가짐을 확인할 수 있다. 하나의 간지가 가지는 힘에 대해 이해했다면 이제 우리는 비로소 길흉에 대해 논할 준비가 되었다. 인간의 길흉은 기운의 균형과 불균형으로 결정되고, 균형의 기준은 다름 아닌 힘의 강약이기 때문이다.

4장

길흉화복과 균형

힘의 균형과 일간

1권에서는 사주명리의 기초 이론을 정리했고, 이 책 앞부분에서는 사주원국을 이해하기 위한 세부적인 사항들에 대해 전반적으로 정리했다. 이제까지의 여정이 인간이 가진 기운을 이해하기 위한 과정이었다면 앞으로는 길흉화복과 미래를 예측하는 과정을 살펴보겠다. 화 기운이 많은 사람에게 필요한 기운은 무엇이고, 어떤 시점에서 유리하고 불리한지에 대해 논할 것이다. 십신의 관점에서는 인성이 많은 착하고 순한 사람에게 필요한 기운은 무엇이고, 그 사람이 언제 성취할 수 있는지에 대해 다룰 것이다. 즉 길과 흉, 좌절과 성취의 요소와 시기에 대해 논할 것인데, 이들을 논하는 기준은 모두 오행의 균형이다.

멀리서 그리고 오랜 시간을 두고 관찰하면 지구는 안정적이고 일관되게 태양 주위를 돈다. 만약 어느 한 시점에 초점을 맞추면 어떨까? 한 시점에서의 지구의 상태, 즉 기운은 불균형의 상태에 놓여 있다. 절기 동지의 밤이라면 아주 춥고 음산한 기운의 상태이고, 절기 하지의 낮이라면 아주 덥고 들뜬 기운의 상태이다. 지구는 그 시점에 머무르지 않고 끊임없이 순환하기에 이런 불균형 상태가 점차 변화하여 다른 불균형 상태로 바뀐다. 각 순간의 불균형이 모여 전체의 안정적인 평형을 유지하는 것이다. 1년이라는 시간을 두고 관찰하면 지구는 평형 상태에 놓여 있지만 순간순간 지구의 기운은 늘 불균형 상태이다.

중요한 것은 인간이 부여받는 기운은 오랜 시간을 두고 서서히 스며들지 않는다는 점이다. 인간은 태어난 순간, 그 시점의 태양과 지구의 관계에 영향을 받는다. 태어난 순간 지구가 가진 기운이 곧 그 인간인 것이다. 한 시점의 지구 상태가 불균형의 상태에 놓여 있으므로 모든 개별 인간 역시 한쪽으로 치우친 기운을 타고났다고 볼 수 있다. 완전히 평형을 이룬 시점이란 존재하지 않으므로, 완전히 균형 잡힌 인간도 존재할 수 없는 것이다.

불균형한 지구, 그리고 인간

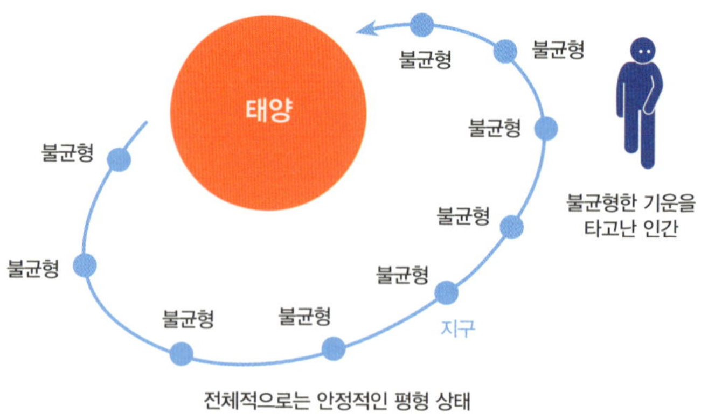

우리는 우리가 가진 기운의 기준이 되는 힘을 알고 있다. 바로 일간이다. 모든 인간, 혹은 모든 일간은 불균형한 상태에 놓여 있으므로 일간의 불균형 상태와 정도를 파악해 그 불균형을 보완할 수 있는 기운을 찾아낼 수 있다면 미래를 불안해하지 않아도 된다. 미신에 의지하거나 종교적인 환희에 빠지지 않고서도 충분히 행복을 끌어안을 수 있는 것이다.

인간의 좌절과 성취는 균형을 잃었다 되찾는 과정에서 비롯하며, 그 균형은 일간을 기준으로 살핀다. 일간이 어느 쪽으로 치우쳐 있는지에 따라 보완할 수 있는 기운이 달라진다. 왼쪽으로 치우친 팽이는 왼쪽 아래를 살짝 쳐 주면 다시 균형을 잡을 수 있고, 오른쪽을 살짝 누르면 원상태로 돌아온다. 이렇게 일간이 치우쳐 있는 기운을 보완할 수 있는 요소를 '용신'이라고 한다. 용신의 상태와 상황에 따라 균형을 잡을 수 있는 사주인지, 언제 균형을 잡을 수 있는지 확인할 수 있다. 그렇다면 용신이 무엇인지에 대해 좀 더 자세히 알아보자.

용신이란?

용신의 단어 뜻은 쓸 '용用'에 기운 '신神' 자이다. 즉 도구가 되는 기운이라는 의미다. 어떤 도구일까? 당연히 균형을 잡아 주는 도구이다. 일간이 목인 사주에서 일간 주변에 목이 많은 사주를 예로 들어 보자. 이 사주에서 용신은 어떤 기운이 될까? 목이 넘치는 사주의 균형을 맞추는 데 어떤 기운이 도움을 줄 수 있을까? 목화토금수부터 하나씩 생각해 보자.

목이 많은데 목이 도움이 된다는 것은 일종의 역발상이다. 같은 오행은 익숙한 기운이기에, 익숙한 기운이 도구가 되면 좋다는 관점에서 보면 타당한 것처럼 보인다. 하지만 균형의 관점에서는 한쪽으로 치우친 팽이를 더욱 한쪽으로 치우치게 하는 결과를 초래하므로, 목은 도구가 될 수 없다. 수가 도움이 된다는 것도 이치에 맞지 않는다. 수는 수생목의 과정을 통해 목을 더욱 왕성하게 만든다. 수가 도구가 된다면 더욱 균형이 맞지 않을 것이다.

여기까지 생각해 보면, 결국 용신은 일간이 가진 힘의 강약을 통해 찾아내야 한다는 사실을 알 수 있다. 사주의 균형이란 곧 일간이 가진 힘의 균형을 의미하기 때문이다. 우리는 왕상휴수사의 이론과 통근, 투간 이론을 통해 일간의 힘의 강약을 판단하는 방법을 배웠다. 즉 일간 주변에 비겁과 인성이 많다면 그 일간은 힘이 강한 일간이고, 일간 주변에 식상·재성·관성이 많다면 그 일간은 힘이 약한 일간이 된다. 사주 전체로 보면 힘이 없는 사주, 힘이 강한 사주이다. 당연하게도 힘이 강한 것이 반드시 좋은 것은 아니며, 힘이 약한 것이 반드시 나쁜 것도 아니다. 균형을 잡을 수 있는 사주가 원만한 사주이고, 균형을 잡기 어려운 사주는 한쪽으로 치우친 굴곡 있는 사주가 될 뿐이다.

	시주	일주	월주	연주
천간	丙 병화	甲 갑목	甲 갑목	癸 계수
지지	寅 인목	辰 진토	寅 인목	卯 묘목

일간이 목이고, 일간 주변에 목이 많은, 비겁이 많은 사주다.
일간의 힘이 넘치는 사주다.

위의 예시에서는 일간이 목이고 일간 주변에 목이 많으므로, 이 사주는 일간의 힘이 넘치는 사주다. 비겁이 많아서 일간의 힘이 넘친다. 이런 사주에 필요한 도구는 당연히 힘을 빼 줄 수 있는 식상, 재성, 관성이다. 즉 용신 후보로 식상, 재성, 관성을 생각해 볼 수 있다.

우주의 기운이 오행이 아니라 사행의 체계로 구성되어 있었다면 용신을 파악하는 것은 너무도 간단했을 것이다. 반대편을 보면 되기 때문이다. 목이 많으면 금이 용신, 금이 많으면 목이 용신, 수가 많으면 화가 용신, 화가 많으면 수가 용신이 되는 식이다. 하지만 오행의 체계에서는 식상, 재성, 관성 중 어느 것이 도구가 될지 판단하기가 쉽지 않다. 그래서 아직도 일간의 힘이 강한 경우, 어느 것이 용신이 될지에 대해 의견이 분분하다.

일간의 힘이 부족한 사주에서는 비교적 용신을 파악하기가 쉽다. 힘을 더해 줄 요소가 인성과 비겁 둘밖에 없기 때문이다. 물론 이런 관점에 대해서도 의견이 분분하다. 용신을 제대로 이해하는 것이 필요한 이유다. 용신을 이해하기 위해 지팡이를 떠올려 보자.

용신과 지팡이

사주와 일간의 불균형을 기울어진 세계(우주)로 비유한다면, 균형을 잡아 주는 도구인 용신은 똑바로 설 수 있게 도움을 주는 지팡이로 비유할 수 있다. 신체의 균형이 무너진 사람, 혹은 기울어진 땅을 걷는 사람은 지팡이에 의지할 수 있다면 좀 더

똑바로 걸을 수 있을 것이다. 만약 용신(지팡이)의 도움으로 똑바로 설 수 있게 된다면, 그때는 노력한 만큼 성취할 수 있다.

지팡이와 용신

불균형한 인간 & 사주　　지팡이의 발견　　균형을 되찾다

용신을 제대로 이해하기 위해 용신이 공격받는 상황을 떠올려 보자. 용신은 자신을 극하는 기운을 만나면 힘을 쓰기 어렵다. 지팡이에 의지하고 있는데 지팡이가 부러진 경우를 상상해 볼 수 있다. 이런 상황에 처한다면 사람은 반드시 큰 낭패를 당한다. 많이 의지한 만큼 큰 타격을 입는 것이다. 따라서 용신을

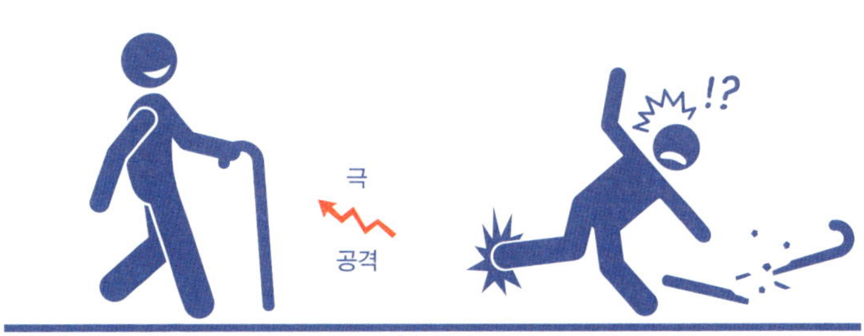

용신에 의해 평온함을 유지하는 인간　　용신이 극을 당해 균형을 잃어버린 인간

파악하려면 반드시 용신이 무너졌을 경우를 함께 고려해야 한다. 사람은 도구를 잃어버렸을 때 비로소 도구의 소중함을 알 수 있기 때문이다. 사주의 유형별로 용신과 용신이 극을 당했을 때의 상황을 알아보자.

비겁이 많은 사주의 용신

비겁이 많은 사주에서는 용신이 재성이다. 비겁이 많은 경우 사주원국에 재성이 놓여 있다면 균형을 잡는 데 유리하다. 지팡이를 쥔 삶이다. 혹은 운으로 재성 운이 들어왔을 때 크게 성취할 수 있음을 암시한다. 지팡이 없이 살아가다 갑자기 지팡이가 생긴 시기로 볼 수 있다. 비겁이 많은데 사주원국에 재성이 없다면 균형을 잡는 데 불리하고, 운으로도 재성 운이 들어오지 않으면 불리하다. 그렇다고 해서 많이 가진 기운을 무시하고 용신만을 쓸 수 있다거나 용신만을 써야 한다는 건 아니다.

비겁이 많은 사주라면 당연히 비겁의 기운을 많이 쓸 수밖에 없고, 써야 한다. 사주의 많은 기운은 써야 하는 기운이고 써서 풀어내야 하는 기운이다. 사주원국에 재성이 없다면 비겁의 기운을 많이 쓰면서도 균형을 잡기 어렵다는 것이고, 재성이 있다면 비겁의 기운을 많이 쓰면서도 균형을 잡을 수 있다는 말이다. 자신에게 많은 기운을 쓰면서 용신을 추구했을 때가 가장 이상적인 상황이 된다.

비겁이 많다는 것은 자기 확신, 주체성이 과도함을 의미한다. 비겁이 많은 사주에서 용신인 재성을 인간관계에 대입해 보면, 아버지·아내·사회에서 만난 동료들이 재성에 해당하고 이들이 삶의 균형을 잡는 데 큰 도움이 된다. 그들과 교류하면서 스스로 구축한 단단한 성벽을 깰 수 있기 때문이다.

사주원국에 용신인 재성이 있다고 해서 마냥 완전한 삶을 보장받는 것은 아니다. 재성은 다음과 같은 상황에서 흔들리기 때문이다. 첫째, 용신인 재성의 근처에 재성을 극하는 비겁이 존재하는 경우다. 둘째, 용신을 극하는 기운인 비겁이 운으로 들어올 때다. 이렇게 용신이 위협을 받으면 용신이 무력화되면서 삶의 성취가 크게 제한된다. 특히 비겁이 용신을 극하는 것이기에 지나친 자기 확신이 삶의 균형을 무너뜨림을 암시한다. 지나친 주체성, 과도하게 부푼 자아 탓에 평정심을 잃어 굴곡을 경험한다. 또한 인간관계에 대입해 보면, 비겁에 해당하는 형제자매, 동료(동업자)와의 관계가 자신의 균형을 무너뜨릴 수 있음을 암시한다.

사주원국에 용신이 없으면 균형을 잡는 데 불리하지만, 용신이 없기에 용신이 무너질 일도 없다. 사주원국에 재성이 없는 경우에는 용신을 극하는 비겁의 기운이 운으로 들어왔을 때의 부정성이 크지 않다.

비겁이 많은 사주에서는 용신이 재성인데, 용신인 재성이 비겁에 극을 당하면 불리하다는 것은 어찌 보면 모순처럼 보인다.

비겁이 많은 사주에서는 당연히 용신이 극을 당할 확률이 높기 때문이다. 따라서 용신을 제대로 쓸 수 없는 것처럼 보인다. 이런 사주에서는 용신의 자리가 중요하다. 용신이 다른 비겁의 간섭 없이 제대로 기운을 펴려면 일간과 가까우면서 구석진 자리에 위치해야 피해를 줄일 수 있다. 즉 시간에 위치한다면 최대한 다른 비겁의 간섭을 받지 않고 용신의 역할을 제대로 할 수 있다.

다음 예시는 비겁이 많은 사주에서 재성을 용신으로 갖춘 경우다.

	시주	일주	월주	연주
	정재	일간	편인	비견
천간	辛	丙	甲	丙
	신금	병화	갑목	병화
지지	卯	午	午	寅
	묘목	오화	오화	인목
	정인	겁재	겁재	편인

병화 일간에 화 비겁의 기운이 많은 사주이다.
시간에 재성인 신금이 용신으로 자리 잡고 있다.

다음은 비겁이 많은 사주에 운으로 재성 용신이 들어올 때의 상황이다.

	시주	일주	월주	연주
	겁재	일간	겁재	편인
천간	丙	丁	丙	乙
	병화	정화	병화	을목
지지	午	酉	戌	丑
	오화	유금	술토	축토
	비견	편재	상관	식신

정화 일간에 화 비겁의 기운이 많은 사주이다.
일지에 재성인 유금이 용신으로 자리 잡고 있다.
34세 때 들어오는 경인 대운의 시기에 용신이 더욱 큰 힘을 발휘한다.

94	84	74	64	54	44	34	24	14	4
丙	乙	甲	癸	壬	辛	庚	己	戊	丁
申	未	午	巳	辰	卯	寅	丑	子	亥
병신	을미	갑오	계사	임진	신묘	경인	기축	무자	정해

식상이 많은 사주의 용신

식상이 많은 사주에서는 용신이 인성이다. 식상이 많은 경우 사주원국에 인성이 놓여 있다면 균형을 잡는 데 유리하다. 혹은 운으로 인성 운이 들어왔을 때 크게 성취함을 암시한다. 비겁이 많은데 사주원국에 재성이 없다면 균형을 잡는 데 불리하듯이, 식상이 많은데 인성이 없거나 운으로도 인성 운이 들어오지 않으면 불리하다.

식상이 많다는 것은 친밀한 인간관계를 과도하게 펼쳐 놓아, 피곤함과 구설수가 뒤따르는 것을 의미한다. 식상이 많은 사주에서 용신인 인성을 인간관계에 대입해 보면, 어머니가 인성에 해당한다. 어머니가 삶의 균형을 잡는 데 큰 도움이 된다. 어머니가 주는 한결같은 믿음과 사랑이 번다한 삶을 지켜 주는 무기가 되는 것이다.

그렇지만 사주원국에 용신인 인성이 있다고 해서 마냥 완전한 삶을 보장받는 것은 아니다. 인성은 다음과 같은 상황에서 흔들린다. 첫째, 용신인 인성의 근처에 인성을 극하는 재성이 존재하는 경우다. 둘째, 용신을 극하는 기운인 재성이 운으로 들어올 때다. 이렇게 용신이 위협을 받으면 용신이 무력화되면서 삶의 성취가 크게 제한된다. 특히 재성이 용신을 극하는 것이기에 재물 활동이 삶의 균형을 무너뜨림을 암시한다. 지나친 재물욕, 급하게 서두르는 마음 때문에 평정심을 잃어 굴곡을 경험한다. 또한 인간관계에 대입해 보면, 재성에 해당하는 아내, 아버지와의 관계가 자신의 균형을 무너뜨릴 수 있음을 암시한다. 사주원국에 용신이 없으면 균형을 잡는 데 불리하지만, 용신이 없기에 용신이 무너질 일도 없다. 사주원국에 인성이 없는 경우에는 용신을 극하는 재성의 기운이 운으로 들어왔을 때의 부정성이 크지 않다.

다음 예시는 식상이 많은 사주에 인성을 용신으로 갖춘 경우다.

	시주	일주	월주	연주
	상관	일간	정인	식신
천간	己	丙	乙	戊
	기토	병화	을목	무토
지지	丑	戌	丑	寅
	축토	술토	축토	인목
	상관	식신	상관	편인

병화 일간에 토 식상의 기운이 많은 사주이다.
월간에 인성인 을목이 용신으로 자리 잡고 있다.

다음은 식상이 많은 사주에 운으로 인성 용신이 들어올 때의 상황이다.

	시주	일주	월주	연주
	식신	일간	편재	편인
천간	壬	庚	甲	戊
	임수	경금	갑목	무토
지지	午	子	子	辰
	오화	자수	자수	진토
	정관	상관	상관	편인

경금 일간에 수 식상의 기운이 많은 사주이다.
연간에 인성인 무토가 용신으로 자리 잡고 있다.
41세 때 들어오는 기미 대운의 시기에 용신이 더욱 큰 힘을 발휘한다.

91	81	71	61	51	41	31	21	11	1
甲	乙	丙	丁	戊	己	庚	辛	壬	癸
寅	卯	辰	巳	午	未	申	酉	戌	亥
갑인	을묘	병진	정사	무오	기미	경신	신유	임술	계해

재성이 많은 사주의 용신

재성이 많은 사주에서는 용신이 비겁이다. 재성이 많은 경우 사주원국에 일간 이외에 추가로 비겁이 놓여 있다면 균형을 잡는 데 유리하다. 혹은 운으로 비겁 운이 들어왔을 때 크게 성취할 수 있음을 암시한다. 재성이 많은데 사주원국에 비겁이 없다면 균형을 잡는 데 불리하고, 운으로도 비겁 운이 들어오지 않으면 불리하다.

재성이 많다는 것은 사회적인 대인 관계의 폭이 지나치게 넓음을 의미한다. 재성이 많은 사주에서 용신인 비겁을 인간관계에 대입해 보면, 비겁은 자기 자신이다. 재성이 많은 사주의 남성은 이성에 관심이 많고 이성과의 인연이 지나치게 많을 수 있는데, 이럴 때 비겁에 해당하는 강한 주체성이 삶의 균형을 잡는 데 큰 도움이 된다. 또한 어려서부터 형제자매와 긴밀한 관계를 유지한 경험이 사회적인 대인 관계를 맺을 때 자기중심을 잡을 수 있도록 돕는다.

그렇지만 사주원국에 용신인 비겁이 있다고 해서 마냥 완전한 삶을 보장받는 것은 아니다. 비겁은 다음과 같은 상황에서 흔들린다. 첫째, 용신인 비겁의 근처에 비겁을 극하는 관성이 존재하는 경우다. 둘째, 용신을 극하는 기운인 관성이 운으로 들어왔을 때다. 이렇게 용신이 위협을 받으면 용신이 무력화되면서 삶의 성취가 크게 제한된다. 특히 관성이 용신을 극하는 것이기에 지나친 명예욕이 삶의 균형을 무너뜨림을 암시한다. 조직이나 집단생활 과정에서 겪는 극심한 스트레스 탓에 평정심을 잃어 굴곡도 경험한다. 또한 인간관계에 대입해 보면, 관성에 해당하는 남편, 강압적인 아버지와의 관계가 자신의 균형을 무너뜨릴 수 있음을 암시한다. 비겁 용신이 관성에 의해 무력해질 때는 친한 친구와 절교하거나 형제자매와의 사이에서 변화가 일어나는 경우가 많다. 다른 사주 유형에서는 사주원국에 용신이 없다면 용신이 무너질 일도 없지만, 비겁 용신의 경우는 상황이 다르다. 비겁이 없다는 것은 일간의 분신, 일간을 대신할 존재가 없다는 것이므로, 일간이 모든 것을 감당해야 한다. 용신인 비겁이 없다면 일간은 관성의 기운을 혼자 감당한다.

다음 예시는 재성이 많은 사주에 비겁을 용신으로 갖춘 경우다.

	시주	일주	월주	연주
	상관	일간	겁재	식신
천간	丙	乙	甲	丁
	병화	을목	갑목	정화
지지	戌	未	辰	巳
	술토	미토	진토	사화
	정재	편재	정재	상관

을목 일간에 토 재성의 기운이 많은 사주이다.
월간에 비겁인 갑목이 용신으로 자리 잡고 있다.

다음은 재성이 많은 사주에 운으로 비겁 용신이 들어올 때의 상황이다.

	시주	일주	월주	연주
	편재	일간	편관	정관
천간	戊	甲	庚	辛
	무토	갑목	경금	신금
지지	辰	戌	子	未
	진토	술토	자수	미토
	편재	편재	정인	정재

갑목 일간에 토 재성의 기운이 많은 사주이다.
대운으로 12세부터 40년간 용신인 목 기운이 꾸준히 들어와 큰 도움이 된다.

92	82	72	62	52	42	32	22	12	2
庚	己	戊	丁	丙	乙	甲	癸	壬	辛
戌	酉	申	未	午	巳	辰	卯	寅	丑
경술	기유	무신	정미	병오	을사	갑진	계묘	임인	신축

관성이 많은 사주의 용신

관성이 많은 사주에서는 용신이 비겁이다. 관성이 많은 경우 사주원국에 일간 이외에 추가로 비겁이 놓여 있다면 균형을 잡는 데 유리하다. 혹은 운으로 비겁 운이 들어왔을 때 크게 성취할 수 있음을 암시한다. 관성이 많은데 사주원국에 비겁이 없다면 균형을 잡는 데 불리하고, 운으로도 비겁 운이 들어오지 않으면 불리하다.

관성이 많다면 아버지가 강압적인 사람일 가능성이 크다. 여성의 경우에는 이성으로부터 과도한 관심과 억압을 당할 수 있다. 관성이 많은 사주에서 용신인 비겁은 자기 자신이다. 비겁에 해당하는 강한 주체성이 삶의 균형을 잡는 데 큰 도움이 된다. 중심을 잡고 자신의 목소리를 분명히 냈을 때 부당한 억압으로부터 자신을 지킬 수 있다.

사주원국에 용신인 비겁이 있다고 해서 마냥 완전한 삶을 보장받는 것은 아니다. 비겁은 다음과 같은 상황에서 흔들린다.

첫째, 용신인 비겁의 근처에 비겁을 극하는 관성이 존재하는 경우다. 둘째, 용신을 극하는 기운인 관성이 운으로 들어왔을 때다. 이렇게 용신이 위협을 받으면 용신이 무력화되면서 삶의 성취가 크게 제한된다. 특히 관성이 용신을 극하는 것이기에 근사한 것을 취하려는 욕망이 삶의 균형을 무너뜨릴 수 있음을 암시한다. 누구나 선망하는 직장에 취업하지만 극심한 스트레스를 경험하는 것에 해당한다. 또한 인간관계에 대입해 보면, 관성에 해당하는 남편, 강압적인 아버지와의 관계가 자신의 균형을 무너뜨릴 수 있음을 암시한다. 사회적으로 크게 성취한 남성과의 만남에서 고통을 받는 경우도 포함된다. 비겁 용신이 관성에 의해 무력해질 때는 친한 친구와 절교하거나 형제자매와의 사이에서 변화가 일어나는 경우가 많다. 다른 사주 유형에서는 사주원국에 용신이 없다면 용신이 무너질 일도 없지만, 비겁 용신의 경우는 상황이 다르다. 비겁이 없다는 것은 일간의 분신, 일간을 대신할 존재가 없다는 뜻이므로, 일간이 모든 것을 감당해야 한다. 용신인 비겁이 없다면 일간은 관성의 기운을 혼자 감당한다.

다음 예시는 관성이 많은 사주에 비겁을 용신으로 갖춘 경우다.

	시주	일주	월주	연주
	비견	일간	정관	식신
천간	癸	癸	戊	乙
	계수	계수	무토	을목
지지	丑	未	寅	亥
	축토	미토	인목	해수
	편관	편관	상관	겁재

계수 일간에 토 관성의 기운이 많은 사주이다.
시간에 비겁인 계수가 용신으로 자리 잡고 있다.

다음은 관성이 많은 사주에 운으로 비겁 용신이 들어올 때의 상황이다.

	시주	일주	월주	연주
	편관	일간	편관	비견
천간	乙	己	乙	己
	을목	기토	을목	기토
지지	亥	卯	亥	巳
	해수	묘목	해수	사화
	정재	편관	정재	정인

기토 일간에 목 관성의 기운이 많은 사주이다.
대운으로 17세부터 40년간 용신인 토 기운이 꾸준히 들어와 큰 도움이 된다.

97	87	77	67	57	47	37	27	17	7
乙	甲	癸	壬	辛	庚	己	戊	丁	丙
酉	申	未	午	巳	辰	卯	寅	丑	子
을유	갑신	계미	임오	신사	경진	기묘	무인	정축	병자

인성이 많은 사주의 용신

인성이 많은 사주에서는 용신이 재성이다. 인성이 많은 경우 사주원국에 재성이 놓여 있다면 균형을 잡는 데 유리하다. 혹은 운으로 재성 운이 들어왔을 때 크게 성취할 수 있음을 암시한다. 인성이 많은데 사주원국에 재성이 없다면 균형을 잡는 데 불리하고, 운으로도 재성 운이 들어오지 않으면 불리하다.

사주에 인성이 많다는 것은 어머니의 간섭이 과도하여 사회생활에 문제를 겪을 수 있음을 암시한다. 이럴 때 재성에 해당하는 아버지와 아내, 그리고 사회적인 대인 관계가 삶의 균형을 잡는 데 큰 도움이 된다. 사회적인 활동력이 어머니의 품을 벗어나지 못하는 유약한 아이를 성장시키는 도구가 되는 것이다.

사주원국에 용신인 재성이 있다고 해서 마냥 완전한 삶을 보장받는 것은 아니다. 재성은 다음과 같은 상황에서 흔들린다. 첫째, 용신인 재성의 근처에 재성을 극하는 비겁이 존재하는 경우다. 둘째, 용신을 극하는 기운인 비겁이 운으로 들어왔을 때다. 이렇게 용신이 위협을 받으면 용신이 무력화되면서 삶의 성취가 크게 제한된다. 특히 비겁이 용신을 극하는 것이기에 지나친 자기 확신이 삶의 균형을 무너뜨림을 암시한다. 지나친 주체성, 과도하게 부푼 자아 탓에 평정심을 잃어 굴곡을 경험한다. 또한 인간관계에 대입해 보면, 비겁에 해당하는 형제자매, 동료(동업자)와의 관계가 자신의 균형을 무너뜨릴 수 있음을 암시한다. 사주원국에 용신이 없으면 균형을 잡는 데 불리하지만, 용신이 없기에 용신이 무너질 일도 없다. 사주원국에 재성이 없는 경우에는 용신을 극하는 비겁의 기운이 운으로 들어왔을 때의 부정성이 크지 않다.

다음 예시는 인성이 많은 사주에 재성을 용신으로 갖춘 경우다.

	시주	일주	월주	연주
	정관	일간	정인	편인
천간	己	壬	辛	庚
	기토	임수	신금	경금
지지	酉	申	巳	午
	유금	신금	사화	오화
	정인	편인	편재	정재

임수 일간에 금 인성의 기운이 많은 사주이다.
월지에 재성인 사화가 용신으로 자리잡고 있다.

다음은 인성이 많은 사주에 운으로 재성 용신이 들어올 때의 상황이다.

	시주	일주	월주	연주
천간	상관	일간	편관	편인
	壬	辛	丁	己
	임수	신금	정화	기토
지지	辰	丑	丑	未
	진토	축토	축토	미토
	정인	편인	편인	편인

신금 일간에 토 인성의 기운이 많은 사주이다.
대운으로 17세부터 20년간 용신인 목 기운이 꾸준히 들어와 큰 도움이 된다.

97	87	77	67	57	47	37	27	17	7
丁	戊	己	庚	辛	壬	癸	甲	乙	丙
卯	辰	巳	午	未	申	酉	戌	亥	子
정묘	무진	기사	경오	신미	임신	계유	갑술	을해	병자

지금까지 설명한 용신을 정리하면 다음과 같다.

인성과 비겁은 일간에 힘을 더해 주고 식상, 재성, 관성은 일간의 힘을 빼 준다. 인성과 비겁이 많아 힘이 왕성해진 일간을 '신강한 일간', 이런 사주를 '신강한 사주'라 부른다. 반면 식상, 재성, 관성이 많아서 힘이 쇠약해진 일간을 '신약한 일간', 이런

사주의 특성과 용신

사주의 특성	용신	용신을 극하는 기운
인성이 많음	재성	비겁
비겁이 많음	재성	비겁
식상이 많음	인성	재성
재성이 많음	비겁	관성
관성이 많음	비겁	관성

사주를 '신약한 사주'라고 부른다. 기본적으로 신강한 사주에서는 힘을 빼 줌으로써 균형을 잡을 수 있으니 재성이 용신이 되고, 신약한 사주에서는 힘을 더해 줌으로써 균형을 잡을 수 있으니 인성과 비겁이 용신이 된다. 신약, 신강은 널리 쓰이는 용어지만 신약 즉, 약하다는 말 자체에 이미 부정적인 의미가 들어 있으므로 신약한 사주는 좋지 않은 사주라는 오해를 불러일으키기 쉽다. 사주는 신강, 신약의 이분법으로 구분하기보다는 어떤 십신의 기운이 많은지를 통해 특성을 이해하는 것이 좋다.

5장

용신의 활용

용신의 목소리

용신은 사주원국의 균형을 잡아 주는 요소를 말한다. 모든 사주는 불균형한 상태에 놓여 있으므로, 모든 사주에는 용신이 존재한다. 균형이 심하게 안 맞는 사주라면 용신이 더 중요하고, 균형이 잘 맞는 사주라면 용신이 큰 의미가 없을 뿐이다. 용신이라는 단어는 사주를 이해하는 관점에 따라 다양하게 쓰이는데, 중요한 것은 인간이 용신을 선택할 수 없다는 것이다. '이 사주에서는 화를 용신으로 써야 한다', '이 사주에서는 수가 용신이지만 금을 용신으로 써야 한다'는 말은 인간이 얼마든지 도구를 선택해 마음대로 사용할 수 있다는 의미를 품고 있다.

하지만 모든 사주에는 용신이 정해져 있고, 우리는 앞에서 배운 용신 찾는 방법론과 인간이 살아온 삶의 이력을 바탕으로 용신을 찾을 수 있을 뿐이다. 태어날 때 부여받은 사주의 기운을 인간이 임의대로 바꿀 수 없듯이, 사주의 균형을 좌우하는 요소인 용신 역시 우리의 의지와 판단대로 바꿀 수 없다. 용신은 사주의 본질을 이해하는 중요한 열쇠이기에 겸허한 마음으로 용신의 목소리에 귀를 기울여야 한다.

더욱 중요한 것은 용신을 찾았다고 하더라도 용신만을 추구하거나 용신의 기운만을 삶에서 써야 한다고 생각해서는 안 된다는 것이다. 사주에 어떤 기운이 많다는 것의 의미는 무엇인가? 사주에 화 기운이 많다면 이 사람은 당연히 가장 잘 쓸 수 있는 기운이 화 기운이고, 화 기운을 쓰는 데 최적화되어 있다. 또한 화 기운을 잘 써서 풀어내야 한다. 용신을 찾았다고 해서 사주의 많은 기운을 무시하는 것은 자기 존재를 부정하는 것이다. 무시하려고 해도 결코 무시할 수 없고 말이다. 많이 가진 기운이 없다면 용신 자체도 아무런 의미가 없다. 따라서 사주의 많은 기운을 적극적으로 활용하려는 마음 자세가 중요하다. 모든 사람은 자신이 많이 가진 기운을 써서 살아가고 있으며, 용신의 작용에 따라 활용의 결과가 좀 더 아름답게 드러날 뿐이다. 또한 운으로 용신이 들어오면, 그 시기에 성취가 잘 드러날 뿐이다. 용신은 내가 가진 기운을 풀어내면서 염두에 두어야 할 사항 혹은 보완해야 할 삶의 지침 같은 것이다. 내가 가진 모든 것을 버리고 용신만을 좇아야 하는 것은 아니다.

용신은 천간

용신은 사주원국에 있는 경우도 있고, 사주원국에 없어서 운으로 들어오는 경우도 있다. 용신은 갑목이나 경금처럼 천간으로 보는데, 지지는 기운들이 섞여 있어 자수, 진토 등의 지지는 용신이라고 보지 않는다. 계수가 용신인 사주인데 사주원국의 천간에 용신이 없고 지지에 자수가 있다면, '자수 안의 계수가 용신이다' 혹은 '자중계수가 용신이다'고 표현한다. 을목이 용신인 사주에서 천간에 을목이 없고 지지에 진토가 있다면, '진토 안의 을목이 용신이다', '진중을목이 용신이다'고 표현한다. 용신을 하나의 간지로 특정하기 어려운 사주라면, 오행의 단위로 용신을 찾기도 한다. 이를테면 수나 토가 용신이 되는 것이다.

용신은 튼튼해야 좋다. 허약한 용신, 이미 극을 당해서 힘을 쓰기 어려운 용신이라면 차라리 없는 것만 못한다. 지팡이를 든 사람에 비유하면, 부러지기 직전의 지팡이를 믿고 산에 오르는 격이다. 용신은 사주의 특성에서 비롯된 요소라서 선택할 수 없을뿐더러, 마음에 안 든다고 바꿀 수도 없다. 위태롭다고 해서 지팡이를 마음대로 버릴 수 없는 노릇이기에 허약한 용신을 가진 사람은 불안하게 산에 오를 수밖에 없다.

그런데 흥미로운 것은 용신은 여간해서는 강하기가 어렵다는 점이다. 어떤 사주에서 용신이 아주 강하다면 그 요소는 용신이 아닐 가능성이 크다. 왜 그럴까? 용신은 사주의 균형을 잡아 주는 도구이다. 즉 사주가 어떤 기운에 의해 한쪽으로 심하게 치우쳐 있을 때 혼자서 균형을 잡기 위해 고군분투하는 기운이 용신이다. 비유하자면 수십 명의 악당이 쳐들어왔을 때, 혼자서 악당을 상대하는 영웅이 바로 용신이다. 용신이 너무 강하다면, 그 요소는 이미 영웅이 아니라 악당일 가능성이 크다. 너무 강한 것은 이미 용신이 아니다. 물론 너무 허약해서도 안 되는 것이 용신이다.

용신의 상황 살피기

그러므로 사주를 해석할 때 가장 중요한 것은 용신을 찾고, 이 용신의 상황을 살피는 것이다. 용신이 비교적 힘이 세다면 불균형한 사주를 충분히 지탱할 수 있고, 오히려 불균형한 힘을 성취의 원동력으로 바꿀 수 있다. 사주원국의 용신은 용신에 해당하는 기운이 운으로 들어올 때 가장 큰 힘을 낸다. 갑목이 용신인 사주라면, 갑목이 운으로 들어올 때 가장 크게 성취할 수 있다. 영웅 혼자서 악당들을 상대하고 있는데, 몇 명의 영웅이 추가로 투입된다면 전세를 완전히 역전시킬 수 있는 것이다. 또한 용신은 용신을 생해 주는 기운이 운으로 들어오면 힘을 크게 발휘한다. 자신을 뒷받침해 주는 응원군의 존재가 큰 힘이 되는 것이다. 갑목이 용신인 사주라면, 오행 수의 기운이 운으로 들어올 때 안정적인 성취가 가능하다. 앞에서 살펴보았듯이 용신은 자신을 극하는 기운이 들어오는 것을 가장 꺼린다. 그 경우 영웅이 사라져 버린 형국이니 사주의 균형이 무너진다.

희용기구한

용신을 찾았다면, 이제는 일간의 관점이 아닌 용신의 관점으로 사주를 바라봐야 한다. 용신의 처지에 따라 일간의 처지가 좌우되기 때문이다. 지팡이가 튼튼해야 안정적으로 산에 오를 수 있는 것과 같다. 용신의 처지를 이해하기 위해 용신을 중심으로 오행의 생극 관계를 구분한 용어가 바로 '희용기구한'이다. 용신을 생하는 희신, 용신, 용신을 극하는 기신, 기신을 생하는 구신, 용신이 생하는 한신의 앞 글자를 딴 용어이다.

만약 용신이 목이라면, 목을 생하는 수는 희신(喜神, 기뻐하는 기운), 목을 극하는 금은 기신(忌神, 꺼리는 기운), 금을 생하는 토는 구신(仇神, 원망스러워하는 기운), 목이 생하는 화는 한신(閑神, 한숨 돌리게 하는 기운)이 된다. 용신의 관점에서 각 기운의 의미를 살펴보자.

희신

희신은 용신을 생하는 기운이다. 용신은 사주의 균형을 책임지고 있다. 한쪽으로 치우쳐 있는 사주의 균형을 잡는 기운이므로 당연히 용신은 사주 전체의 기운들과는 이질적인 기운일 가능성이 크다. 금 일간에서 금 기운이 많은 사주라면 목 기운이 용신인데 수렴하는 금과 약동하는 목은 하늘과 땅의 차이를 보인다. 이런 이질적인 특성 탓에 용신이 가치 있고, 홀로 빛나는 것이며, 반면 위태로울 수 있는 것이다. 그런데 희신은 용신을 생하는 기운이므로 계절의 순서상 용신의 이전 계절에 놓여 용신과 사주 전체의 기운을 중재하는 역할을 맡는다. 희신은 용신을 생하여 용신의 힘을 북돋는데 이보다 더 중요한 희신의 가치는 사주 전체의 기운과 조화를 이루면서, 동시에 사주의 균형을 잡는 데 도움을 준다는 것이다. 이처럼 극적인 효용은 없지만 비교적 안정적이라는 점에서 희신은 가치가 있다. 용신이 없는 사주원국도 있듯이, 모든 사주원국에서 희신을 찾을 수 있는 것은 아니다. 용신이 없는 사주원국에서 희신은 용신의 빈자리를 대신하며, 운으로 용신이 오기를 간절히 기다린다. 가장 이상적인 희신은 용신의 바로 옆에서 용신을 생해 주는 것이다.

사주원국에서 희신이 위치하기에 좋은 곳은 사주의 특성에 따라 달라진다. 인성은 식상을 극하고, 식상은 관성을 극하며, 재성은 인성을 극한다. 따라서 다음 표에서 살펴볼 수 있듯이 인성이 많은 사주, 식상이 많은 사주, 재성이 많은 사주에서는

용신과 희신

사주의 특성	용신	희신	희신의 처지와 작용
인성이 많음	재성	식상	사주에서 많은 기운으로부터 극을 당한다.
비겁이 많음	재성	식상	사주에서 많은 기운을 유통시키는 작용을 한다.
식상이 많음	인성	관성	사주에서 많은 기운으로부터 극을 당한다.
재성이 많음	비겁	인성	사주에서 많은 기운으로부터 극을 당한다.
관성이 많음	비겁	인성	사주에서 많은 기운을 유통시키는 작용을 한다.

희신이 사주에서 많은 기운들 옆에 붙어 있다면 긍정적인 작용을 원활하게 할 수 없다. 희신이 극을 당하기 때문이다. 이런 경우 희신은 이 기운들로부터 멀리 떨어지고 일간과 가까이 붙어 있는 것이 좋다. 반면 비겁이 많은 사주, 관성이 많은 사주의 경우 희신은 사주에서 많은 기운들 옆에 붙어 있는 것이 좋다. 즉 비겁과 관성의 옆에 위치한다면 비겁의 부정성과 관성의 부정성을 풀어낼 수 있다. 물론 이 경우에도 희신은 일간과 가까이 붙어 있는 것이 좋다. 비겁이 많은 사주, 관성이 많은 사주에서 희신은 비겁과 관성 옆에 있는 동시에 일간 옆에 있으면 이상적이다. 비겁의 기운이 많은 사주에서 희신으로서 식상은 예로부터 아주 아름답게 보았고, 심지어 이 희신을 용신으로 이해하

는 경우도 많다. 관성의 기운이 많은 사주에서 희신으로서 인성 역시 예로부터 아주 아름답게 보았으며, 이런 사주의 유형을 관인상생(정관과 인성이 조화를 이루어 아름다움), 살인상생(편관과 인성이 조화를 이루어 아름다움)이라 불렀다. 희신인 인성이 관성의 기운을 유통시킨 긍정성에 주목한 것이다.

	시주	일주	월주	연주
	편재	일간	비견	비견
천간	癸	己	己	己
	계수	기토	기토	기토
지지	酉	未	巳	卯
	유금	미토	사화	묘목
	식신	비견	정인	편관

용신을 생하는 희신이 있는 사주의 예시. 기토 일간에 토 비겁의 기운이 많은 사주이다. 시간에 놓인 계수 편재가 용신이다. 시지의 유금이 희신으로서 계수의 아래에서 든든한 뿌리 역할을 하고 있다.

다음은 위와 같은 날의 사주이다. 마찬가지로 기토 일간에 토 비겁의 기운이 강한 사주이다. 용신인 수 기운은 찾아볼 수 없고, 대신 희신인 신금이 용신의 빈자리를 대신하고 있다. 희신을 역할을 기대해 볼 수 있다.

	시주	일주	월주	연주
	식신	일간	비견	비견
천간	辛	己	己	己
	신금	기토	기토	기토
지지	未	未	巳	卯
	미토	미토	사화	묘목
	비견	비견	정인	편관

용신이 없고 희신이 용신의 작용을 하는 사주의 예시

한신과 기신

한신은 용신이 생하는 기운이다. 한신의 한閑은 '한가하다, 쉰다'는 뜻인데, 한신이 용신이 가장 싫어하는 기신을 극해 용신이 숨 돌릴 틈을 확보해 주기 때문에 쓰인 말이다. 즉 한신은 용신을 지켜 주는 방패 역할을 하는 것이다. 사실 한신은 사주의 균형에 큰 영향을 미치지 않는 경우가 많다. 한신으로는 균형과 길흉을 논하기 어렵다는 뜻이다. 만약 용신 옆에 한신이 있다면 용신은 자신을 기신으로부터 보호할 수는 있지만, 마냥 좋은 것은 아니다. 한신은 용신이 생하는 기운이기 때문에 생하는 작용을 통해 용신의 기운이 한신으로 흘러 나가기 때문이다. 용신은 굳건하게 서서 사주의 균형을 잡아 줘야 하는데, 용신의 기운이 유통되면 사주 전체의 균형은 유지할 수 있지만 자신의 목소리는 힘을 잃는다. 균형 잡힌 사주가 좋은 사주라는 관점에서는 이상적인 상황이지만, 용신이 큰 의미가 없는 사주는 개성 없는 삶, 장점도 단점도 없는 성격, 무난하면서도 성취가 제한된 삶을 암시한다. 자신을 방어하느라 다급하게 방패를 든 영웅은 제 역할을 다하지 못하는 것과 같다.

기신은 용신을 극하는 기운이다. 용신을 찾았다면, 그다음에는 반드시 기신을 떠올려야 한다. 용신이 큰 작용을 하면 할수록 기신으로 인한 용신의 좌절도 선명하다. 큰 칼을 들고 전장을 누비는 영웅은 크게 성취할 수 있지만, 동시에 큰 좌절도 경험할 수 있는 것이다. 크게 성취한 경험이 있는 사람들이 곧잘 큰 좌절을 겪는 것을 용신과 용신을 호시탐탐 노리는 기신의 상호 작용으로 해석할 수 있다.

용신을 기준으로 기신의 작용을 살펴야 하기에 사주원국에 용신이 없을 때, 기신을 논하는 것은 의미가 없다. 용신은 없고 기신만이 가득 찬 사주는 없는 것이다. 사주원국에 용신이 존재하는 경우, 기신이 어디 있는지를 살펴야 한다. 기신은 용신의 주변(위아래, 좌우)에 있으면 좋지 않고, 멀리 떨어져 있을수록 좋다. 기신이 없는 경우에는 용신이 아주 원만하게 작용한다. 운으로 기신이 들어오는 경우, 삶의 성취가 심하게 제한되는데 용신이 극을 당하기 때문이다. 사주원국에 용신이 없는데 운으로 기신이 들어올 경우 기신이 극할 용신이 없다고 해서 마냥 좋아할 일은 아니다. 균형의 관점으로 볼 때 기신이 사주의 균형을 치우치게 하는 요소이기 때문이다. 다음 표에서 확인할 수

용신과 기신

사주의 특성	용신	기신	기신의 처지와 작용
인성이 많음	재성	비겁	사주에서 많은 기운으로부터 생을 받는다.
비겁이 많음	재성	비겁	사주에서 많은 기운
식상이 많음	인성	재성	사주에서 많은 기운으로부터 생을 받는다.
재성이 많음	비겁	관성	사주에서 많은 기운으로부터 생을 받는다.
관성이 많음	비겁	관성	사주에서 많은 기운

있듯이 기신은 사주에서 많은 기운이거나 사주에서 많은 기운으로부터 생을 받는 기운이다. 사주의 균형을 유지하는 데 별

	시주	일주	월주	연주
	정재	일간	정인	편관
천간	己	甲	癸	庚
	기토	갑목	계수	경금
지지	巳	午	未	午
	사화	오화	미토	오화
	식신	상관	정재	상관

용신을 극하는 기신이 있는 사주의 예시. 갑목 일간에 화 식상의 기운이 많은 사주이다. 월간에 용신인 정인 계수가 놓여 있지만, 계수가 미토 위에 놓여 있다. 기신의 존재로 인해 용신이 불편한 상황의 사주이다.

	시주	일주	월주	연주
	정관	일간	겁재	편인
천간	乙	戊	己	丙
	을목	무토	기토	병화
지지	卯	寅	亥	辰
	묘목	인목	해수	진토
	정관	편관	편재	비견

운으로 기신을 맞이한 사주의 예시. 무토 일간에 목 관성의 기운이 많은 사주이다. 월간에 용신인 기토가 놓여 있다. 대운으로 20대부터 40년간 기신인 목 기운이 들어온다. 용신의 역할이 제한되는 시기를 겪게 되는 사주이다.

95	85	75	65	55	45	35	25	15	5
己	戊	丁	丙	乙	甲	癸	壬	辛	庚
酉	申	未	午	巳	辰	卯	寅	丑	子
기유	무신	정미	병오	을사	갑진	계묘	임인	신축	경자

도움이 되지 않기 때문에 부담스럽다.

구신

구신은 사주에서 넘치는 기운이자 기신을 생하는 기운이다.

또한 용신이 극하는 기운이다. 결국 용신이 사주에서 넘치는 기운인 기신이나 구신을 극하면서 사주의 균형이 유지되는 것이다. 기신은 용신을 극하는 기운이기에 눈을 크게 뜨고 살펴야 하는 반면, 구신은 오히려 용신에게 극을 당하는 기운이기에 시급하게 관찰할 필요는 없다. 구신은 용신의 위상을 흔들지 않는 기운이므로 한신처럼 구신 자체만으로 길흉을 논하기는 어렵다.

다만 이 점은 기억해야 한다. 구신은 영웅에게 달려드는 무수히 많은 적의 병사들로 비유할 수 있는데, 영웅(용신)은 손쉽게 병사들을 처리할 수 있지만 병사가 너무 많은 탓에 종국에는 힘이 빠져 적군 장수(기신)에게 위협을 당할 수 있다는 것이다. 몰려드는 구신의 기운이 용신에게는 큰 부담이 된다. 사주원국에 용신이 없더라도 구신은 사주에서 많은 기운이나 사주에서 많은 기운을 생하는 기운이므로 그 자체로는 사주의 균형에 도움이 되지 않는다. 기신과 마찬가지로 운으로 들어오는 구신은 삶의 성취를 제한한다.

용신을 찾은 다음, 희용기구한의 관계를 설정하고 하나하나에 의미를 부여하는 것은 재미있는 작업이다. 인간관계에도 희용기구한의 관계를 적용하고, 주변인의 사주에도 대입하면 더욱 용신의 의미를 확장해서 이해할 수 있다. 예를 들어 자신이 목 용신의 사주라면, 금 일간의 사주나 사주에 금이 많은 사람과의 관계를 잘 관찰해 보라. 희용기구한의 의미를 발견할 수 있다. 목 기운이 강한 주변인은 어떤 긍정적인 작용을 하는지 살펴보는 것도 의미가 있다. 비겁이 기신의 작용을 하는 사주라면, 비겁에 해당하는 친구나 형제자매와의 관계를 관찰해 보면 의미를 발견할 수 있을 것이다. 하지만 용신(용신이 없을 경우에는 희신)과 기신만이 큰 의미를 지니므로, 희신·구신·한신까지 살펴보면서 길흉이나 관계를 논하는 것은 의미가 없다. 우리가 희용기구한을 구분하고 관찰하는 것은 결국 용신의 처지와 상황을 보기 위함이라는 사실을 잊어서는 안 된다.

용신의 종류

인간의 길흉, 성취와 좌절은 사주의 조화와 균형의 과정에서 오고, 이 조화와 균형을 좌우하는 기운이 바로 용신이다. 사주의 조화와 균형을 판단하는 다양한 관점이 존재하는데, 지금까지 다룬 관점은 일간의 힘의 균형에 초점을 맞춘 '억부론'이다. 즉 사주에 인성·비겁이 많으면 힘이 센 일간이 되고, 이 경우 재성을 통해 힘을 빼 줘야 균형을 잡을 수 있다는 전제에서 재성을 용신으로 판단한 것이다.

여기서는 억부론을 비롯해 사주의 조화와 균형을 위한 다양한 관점을 살펴보고, 각 관점에서 용신을 어떻게 찾을 수 있는지 확인해 보자.

억부용신

억부론은 일간의 힘의 강약에 초점을 맞추어서 사주를 판단하고 용신을 찾는 방법론이다. 힘이 강한 일간은 재성을 통해 힘을 빼 줌으로써 균형을 잡아야 하고, 힘이 약한 일간은 인성이나 비겁을 통해 힘을 더해 줌으로써 균형을 잡아야 한다. 그래야 원만하게 성취하고, 행복한 삶이 가능하다. 억부론 안에서도 용신을 찾는 방법론은 다양하다. 일간의 힘이 넘치면 무조건 식상을 용신으로 잡는 경우도 있고, 일간의 힘이 부족하면 무조건 인성이 용신이 된다는 의견도 있다.

그런데 힘이 넘치는 경우 논란의 여지없이 반드시 용신의 역할을 하는 것이 바로 재성이다. 왜냐하면 모든 기운은 본질적으로 한 칸 건너뛴 기운, 즉 재성을 지향하기 때문이다. 재성을 지향하기에 자연스럽게 식상이 희신으로서 좋은 역할을 하는 것이지, 식상을 용신으로 생각해서는 안 된다. 기신의 관점에서 보더라도 재성이 용신이다. 예를 들어 힘이 넘치는 사주에서 식상이 용신이라면 기신은 인성이다. 재성이 용신일 때는 기신이 비겁이다. 힘이 넘치는 사람에게 인성과 비겁 중 어느 기운이 기신의 역할을 할까? 너무 쉽게 답을 구할 수 있다. 자신감이 과도한 사람은 지나친 자기 확신과 과욕이 삶을 파국으로 몰고 간다. 비겁이 확실한 기신의 역할을 하는 것이다.

대부분의 사주는 억부론을 통해 용신을 찾을 수 있고, 용신의 자리와 처지를 관찰하면 삶의 성과와 부침을 확인할 수 있다.

하지만 억부론의 관점으로 설명하기 어려운 사주도 있다. 그런 경우에는 음양의 관점에서 사주를 바라봐야 한다.

음양용신

우리는 일간을 기준으로 삼고 십신으로 사주의 기운을 이해하는 단계에 와 있다. 하지만 인간을 이루는 기운은 음양, 그리고 오행으로 구성되어 있다는 사실을 잊어서는 안 된다. 사주가 음이나 양 한쪽으로 치우친 경우, 십신이나 일간의 힘의 균형을 통해 용신을 찾기 전에 먼저 음양의 조화를 맞추는 데 주력해야 한다.

오행 토는 음양을 구분하기가 어렵고, 목이나 금의 경우도 음인지 양인지 확실하게 단언할 수 없다. 이를테면 음목인 을목이나 양금인 경금의 경우 음인지 양인지 단언하기가 애매한 것이다. 반면 오행 수와 화는 확실하게 음과 양으로 구분할 수 있다. 오행 수가 현저하게 많거나 금, 수로만 구성된 사주의 경우 음기가 넘치는 사주로 볼 수 있다. 오행 화가 현저하게 많거나 목, 화로만 구성된 사주의 경우에는 양기가 넘치는 사주이다. 이렇게 음양이 한쪽으로 완전히 치우친 사주의 경우, 음양의 균형을 맞추어 주는 기운이 용신이 된다. 음기가 넘치는 사주라면 양의 기운인 화 기운이 용신이고, 양기가 넘치는 사주라면 음의 기운인 수 기운이 용신이다. 일간과 십신을 논하기 전에 음양의 균형을 맞추는 것이 시급한 것이다. 음양의 관점에서 본 사주의 유형과 용신은 다음과 같다.

음양의 관점에서 본 사주 유형과 용신

음과 양	사주 유형	사주 유형 2	용신	기신
양기가 과도한 사주	화 기운의 비중이 압도적인 사주	화 기운의 비중이 크고, 목 기운이 화 기운을 생하는 사주	수	토
음기가 과도한 사주	수 기운의 비중이 압도적인 사주	수 기운의 비중이 크고, 금 기운이 수 기운을 생하는 사주	화	수

억부론의 관점을 포기하고 굳이 다른 방식으로 용신을 찾는 이유가 무엇일까? 억부론의 관점으로 판단하기에는 사주가 완전히 한쪽으로 치우쳐 있기 때문이다. 완전히 치우친 사주이기에 더욱 면밀히 관찰해야 한다. 희용기구한이라는 하나의 방식으로만 사주를 봐서는 안 된다. 양기가 과도하면 용신이 수 기운이 되는데, 이 경우 희신에 해당하는 금 기운은 굉장히 위험하다. 화 기운이 압도적인 상황에서 금 기운이 노출되면 금 기운이 극을 당하면서 부정성이 커지기 때문이다. 음기가 과도한 사주에서는 화 기운이 용신인데, 화 기운이 용신의 역할을 제대로 하려면 운으로도 용신이 들어와 용신이 아주 강해져야 한다. 너무 많은 음기 탓에 용신이 극을 당할 수 있기 때문이다.

다음 예시는 사월의 오시에 태어났는데•, 주변에 목 기운이

음양용신의 예시(양기가 지나친 사주)

	시주	일주	월주	연주
	상관	일간	편관	편인
천간	庚	己	乙	丁
	경금	기토	을목	정화
지지	午	卯	巳	卯
	오화	묘목	사화	묘목
	편인	편관	정인	편관

더해져 사주에 양기가 지나친 상황이다. 수 기운으로 지나친 양기를 조절해야 하는 사주이다. 수 기운의 협력이 필요하다.

아래의 사주는 전체적으로 수 기운이 지나치다. 진토 안의 계

음양용신의 예시(음기가 지나친 사주)

	시주	일주	월주	연주
	편관	일간	정재	정인
천간	乙	己	壬	丙
	을묘	기토	임수	병화
지지	亥	亥	辰	子
	해수	해수	진토	자수
	정재	정재	겁재	편재

● 조후로 판단하기 위해 월지와 시지를 언급했다. 예시 사주에서 월지는 사巳, 시지는 오午다.

수까지 포함하면, 지지는 완전히 수 기운으로 이루어져 있다. 화 기운으로 지나친 음기를 조절해야 하는 사주이다. 연간의 병화가 아주 핵심적인 기운이다.

용신은 학파나 관점에 따라 다르게 정의되고, 용신을 구하는 방법 역시 다르다. 가장 널리 알려진 용신 이론이 격국론이다. 격국론은 사주에서 중심축이 되는 기운 즉, 월지를 용신(혹은 상신이라 한다)으로 정의한다. 억부론은 일간의 힘의 균형을 유지하는 데 결정적인 역할을 하는 기운을 용신으로 정의한다. 용신이라는 단어는 같지만, 용신의 쓰임이 완전히 다른 것이다. 또한 용신은 병약용신, 건강용신, 고립용신처럼 극을 당해 허약해진 기운을 치유하는 약의 의미로도 쓰인다.

균형이 완전히 무너진 사주, 하나의 오행만으로 이루어진 사주의 경우에는 균형을 좌우하는 요소를 찾는 것이 아니라 강한 힘•을 따라서 용신을 정하기도 한다. 이때의 용신을 '전왕용신'이라 한다. 두 개의 기운이 서로 대치하고 있을 때는 두 개의 기운을 중재할 수 있는 기운을 길하게 보고 그 기운을 용신으로 잡기도 한다. 예를 들어 목과 토로만 구성된 사주라면, 중간 작용을 하는 화 기운이 필요하다고 보는 이론이다. 이런 용신을 '통관용신'이라고 한다. 마지막으로 월지와 시지의 관계에 초점을 맞추어 계절, 시간적 조건으로 사주의 여건을 판단해 용신을

• 강한 힘이란 사주에서 많은 기운을 말한다. 목 기운만으로 구성되어 있다면 목 기운을 의미하며, 이 경우 목 기운을 용신으로 잡는다.

잡기도 하는데, 이런 용신을 '조후용신'이라 한다.

이렇게 용신은 많고, 그만큼 다양한 방법론이 존재한다. 하지만 모든 용신론의 핵심은 억부용신에 있고, 억부용신의 방법을 잘 활용하면 다양한 용신론에 기대지 않고도 사주를 해석할 수 있다.

용신의 작용력을 확인하는 방법

용신을 찾기 어려울 정도로 다양한 기운이 섞여 있는 사주는 균형이 잡힌 좋은 사주라고 할 수 있다. 균형이 좋으므로 안정적인 성취와 무난한 행복이 보장된다. 반면 용신을 쉽게 찾을 수 있는 사주는 한쪽으로 치우친 사주라고 할 수 있다. 이런 사주에서는 용신의 처지와 작용에 의해 성취와 행복이 좌우된다. 용신이 바르게 서 있고, 운도 협력하면 아주 크게 성취할 수 있지만, 용신이 허약하거나 용신을 극하는 운이 들어오면 좌절을 피하기 어렵다.

용신의 작용력이 어느 정도인지 확인하는 방법은 다음과 같다. 세 가지 조건을 모두 충족한다면 용신의 작용력이 매우 큰 것이고, 그렇지 않다면 운으로 들어오는 용신의 협력을 기대해 봐야겠다.

1. 용신이 사주원국에 있는가. (yes or no)

2. 용신이 일간의 옆에 있는가. (yes or no)

3. 용신이 힘이 있는가. (yes or no)

용신 혹은 희신은 사주원국에 있어야 좋다. 물론 용신은 운으로 들어오기도 한다. 대인 관계나 개운법, 의지를 통해서도 용신의 기운을 충족할 수 있다. 하지만 사주원국에 용신이 있는 것만 못하다.

사주원국에 용신이 있다면 다음으로는 용신의 위치를 살펴야 한다. 용신은 일간 옆에 있는 것이 가장 좋다. 즉 일간과 가장 가까운 자리인 T존(시간, 월간, 일지)에 놓여 있을 때 용신의 영향력이 극대화된다. 일간은 위기에 처할 때마다 용신을 소중한 도구로 활용해서 균형을 잡을 수 있는 것이다. 용신은 시간에 놓였을 때 가장 강력하고 명확하게 힘을 드러낸다. 다만 시간이라는 자리는 미래를 지향하는 의미가 있으므로 삶의 전반에 걸쳐 용신을 가꾸어 나가기 위해 노력해야 하는 숙제가 생긴다. 월간에 용신이 놓인 경우도 선명하게 용신의 힘이 드러난다. 월간에 놓인 용신의 장점은 특별히 노력하지 않아도 무난히 용신의 힘을 쓸 수 있다는 것이다. 월간이라는 자리가 타고난 환경을 뜻하기 때문이다. 단점은 시간과 다르게 연주와도 관계를 맺고 있다는 것이다. 월간은 한가운데에 꽉 끼인 기운이기에 월간에 놓인 용신은 주변 기운들과 상호 작용을 하느라 선명하게 제 역할을 하기 어려운 경우가 많다.

일지에 용신이 놓인 경우에는 가장 안정적이고 꾸준하게 용신의 힘이 드러난다. 일지는 일간과 가장 가까운 자리이자, 일간의 파트너이다. 배우자와의 관계, 직업, 심리, 생활 습관, 태도가 모두 일지에서 비롯된다고 해도 과언이 아니다. 따라서 일지에 용신이 놓인 경우 전 생애를 걸쳐 안정적인 삶이 가능하다. 또한 지지에 놓인 용신의 가장 큰 장점은 극을 당해도 어지간해서는 무너지지 않는다는 것이다. 천간은 하나의 순수한 기운인 반면, 지지의 기운에는 여러 기운이 섞여 있다. 지지에서는 완전한 의미의 극이 일어나지 않기에 무너질 일도 없는 것이다. 단점이라면 용신의 작용이 극적으로 드러나지 않는다는 것이다. 일지에 용신을 둔 경우 안정적인 성취는 가능하지만, 크게 성취하기는 어렵다. 크게 성취하는 데는 천간의 용신이 명확한 도움을 준다.

용신의 위치를 살폈다면, 이제 용신 주변의 기운을 살펴 용신 힘의 강약을 확인해야 한다. 용신의 좌우, 위아래의 기운을 확인하고, 그 기운들과 용신의 관계를 통해 용신의 힘을 살핀다. 다음과 같은 조건에 놓인 용신이 강한 용신이다. 근처에 희신이 있는 용신이 가장 좋고, 주변의 지장간의 협조를 받고 있는 용신이 그다음이다. 극을 당하는 상황에 놓인 용신은 좋지 않다.

사주원국에 용신이 있는 경우와 없는 경우

	시주	일주	월주	연주
	정관	일간	비견	정인
천간	辛	甲	甲	癸
	신금	갑목	갑목	계수
지지	未	寅	寅	卯
	미토	인목	인목	묘목
	정재	비견	비견	겁재

YES

	시주	일주	월주	연주
	편관	일간	비견	정인
천간	庚	甲	甲	癸
	경금	갑목	갑목	계수
지지	午	寅	寅	卯
	오화	인목	인목	묘목
	상관	비견	비견	겁재

NO

위 예시는 같은 날의 사주를 비교한 것이다. 목 비겁의 기운이 아주 강한 날이다. 여기서는 토 재성의 기운이 용신이다. 위쪽의 사주에는 용신이 사주원국에 있고, 아래에는 없다.

일간 옆에 용신이 있는 경우와 없는 경우

	시주	일주	월주	연주
	정재	일간	겁재	편인
천간	戊	乙	甲	癸
	무토	을목	갑목	계수
지지	寅	卯	寅	卯
	인목	묘목	인목	묘목
	겁재	비견	겁재	비견

YES

	시주	일주	월주	연주
	편인	일간	겁재	편인
천간	癸	乙	甲	癸
	계수	을목	갑목	계수
지지	未	卯	寅	卯
	미토	묘목	인목	묘목
	편재	비견	겁재	비견

NO

역시 같은 날의 사주이다. 위쪽의 사주에는 용신이 일간 바로 옆에 있고, 아래쪽에서는 용신이 시지에 놓여 있다.

용신이 힘이 있는 경우와 없는 경우

	시주	일주	월주	연주
	편재	일간	비견	정인
천간	戊	甲	甲	癸
	무토	갑목	갑목	계수
지지	辰	寅	寅	卯
	진토	인목	인목	묘목
	편재	비견	비견	겁재

YES

	시주	일주	월주	연주
	정재	일간	겁재	편인
천간	戊	乙	甲	癸
	무토	을목	갑목	계수
지지	寅	卯	寅	卯
	인목	묘목	인목	묘목
	겁재	비견	겁재	비견

NO

하루 차이의 사주이다. 위쪽의 사주는 용신인 시간의 무토 아래에 진토가 놓여 있어 무토의 힘이 강력하다. 반면 아래쪽의 사주는 용신인 시간의 무토 아래에 인목이 놓여 있어서 용신인 무토가 불편한 상황이다.

용신을 삶에서 활용하는 방법

사주원국에서 용신이나 희신이 제 역할을 잘하고 있거나, 운으로 용신이나 희신의 기운이 들어왔을 때 크게 성취하고, 안정적인 삶이 가능하다. 그런데 사주원국에 용신이 없거나 용신 운이 들어오지 않는 시기에는 어떻게 해야 할까? 가만히 앉아서 신세 한탄만 하고 있어서는 안 된다. 적극적으로 삶의 균형을 회복하기 위해 노력해야 한다. 어떤 방면으로 어떻게 노력해야 할까? 바로 용신이나 희신에 맞는 방향이다. 사주의 균형을 좌우하는 요소가 용신이므로 용신의 기운에 맞는 방향으로 노력한다면 어려운 시기를 좀 더 슬기롭게 이겨 낼 수 있다. 또한 좋은 시기를 더욱 빛낼 수 있다.

용신의 기운에 맞는 실천 방법은 다음 표와 같다.

용신을 찾았다면 오행과 십신의 방법을 결합하여 삶에 적용하면 된다. 목 기운이 용신이라면 예를 들어 아침에 일찍 일어나 등산을 하면 삶의 균형을 지킬 수 있다. 수 기운이 용신이라

오행 용신에 맞는 실천 방법

	목 기운이 용신이나 희신인 경우	화 기운이 용신이나 희신인 경우	토 기운이 용신이나 희신인 경우	금 기운이 용신이나 희신인 경우	수 기운이 용신이나 희신인 경우
운동	등산, 산림욕, 클라이밍, 요가	조깅	걷기	헬스, 피트니스	수영, 프리다이빙, 스킨스쿠버
시간 활용	아침(새벽)에 일찍 일어나기	낮 시간에 밖에 나가 활동하기	점심 이후에 느긋하게 활동하기	집중해서 일해야 한다면 저녁에 하기	밤에 일찍 자기, 외국어 공부
좋은 지역	숲, 강원도	햇볕이 잘 드는 지역 (대구광역시 · 제주도 · 일본)	평지가 넓게 펼쳐진 지역 (대전광역시 · 세종시 · 중국)	독일, 북유럽, 스웨덴	바닷가, 강가, 제주도, 해외 (호주 · 미국 · 영국 · 서유럽)
그 외	식물 가꾸기	인터넷 서핑, 밝은 조명의 실내, 모닥불	안정적인 거주지 마련	바른 자세 유지	음악 감상 어항 가꾸기

십신 용신에 맞는 실천 방법

	비겁이 용신이거나 희신인 경우	식상이 용신이거나 희신인 경우	재성이 용신이거나 희신인 경우	관성이 용신이거나 희신인 경우	인성이 용신이거나 희신인 경우
도움이 되는 인간관계	형제자매, 동료, 동기	부하 직원, 아랫사람	아버지, 아내	아버지, 남편	어머니, 자녀 , 은사님 (윗사람)
좋은 사회 활동	무슨 일이든 사람들과 함께하기	친한 친구들과의 식사, 소모임 참석	회식 참여, 동호회 활동	직장 생활, 대학원 등 진학	종교 생활, 독서 토론

	비겁이 용신이거나 희신인 경우	식상이 용신이거나 희신인 경우	재성이 용신이거나 희신인 경우	관성이 용신이거나 희신인 경우	인성이 용신이거나 희신인 경우
생활 태도	운동	글쓰기, 가르치기, 창작, 여행, 다양한 취미 활동	경제 활동, 가계부 작성, 기부, 봉사 활동, SNS 활동	시간 약속 지키기, 인사 잘하기, 규칙적인 생활	일기 쓰기, 책 읽기, 명상

면 외국어 공부와 수영이 큰 도움이 된다. 비겁이 용신인 경우에는 형제자매나 동료들과 무언가를 함께하는 것이 삶의 균형을 지키는 데 도움이 된다. 인성이 용신이라면 마음 수양과 관련된 활동, 예를 들면 일기 쓰기, 책 읽기가 큰 도움이 된다.

용신을 찾기 어려운 사주라면, 어떤 활동들이 도움이 되었는지 더듬어 보면서 용신을 거꾸로 찾아보는 방법도 있다. 수영을 하던 시기에 삶의 만족도가 높았다면, 수 기운을 용신으로 설정해 놓고 사주를 해석해 보는 것이다. 어머니와 친밀한 덕분에 안정감을 유지할 수 있었다면 인성을 중심으로 사주의 목소리를 듣고 해석해 보는 식이다. 한 인간의 삶을 가장 잘 이해하고 있는 사람은 바로 자신이다. 그러므로 지나온 삶을 돌이켜 보며 삶의 과정과 용신의 작용을 비교하면 어렵지 않게 용신을 찾을 수 있을 것이다.

6장

운의 작용

운의 이해

내가 태어날 때 받은 기운과 현재 지구상의 기운이 서로 교류하며 영향을 주고받을까? 영향을 주고받지 않는다면, 사주원국만을 가지고 개인의 특성과 길흉을 짐작해야 한다. 반면 영향을 주고받는다면 어떨까? 화 기운이 많아서 수 기운이 꼭 필요한 사람에게 수 기운의 힘이 강한 해(임자년, 계해년)가 도움이 될까? 인간이 태어날 때 받은 기운은 고정된 물질이 아니라 말 그대로 유동하는 기氣이다. 태어날 때 받은 기운과 현재 지구상의 기운은 서로 적극적으로 교류하며 협력하기도 하고 갈등하기도 한다.

태어날 때 받은 기운과 현재 지구상의 기운의 관계를 '운'이라고 정의한다. 내가 가진 기운과 현재 지구상의 기운이 서로 좋은 협력 관계를 맺고 있다면 때가 좋고, 운이 좋은 것이다. 내가 가진 기운과 현재 지구상의 기운이 서로 좋지 않고 갈등 관계를 맺고 있다면 때가 좋지 않고, 운이 좋지 않은 것이다. 내가 가진 기운은 바꿀 수 없지만, 지구의 기운은 지구와 태양의 관계가 변하므로 쉼 없이 변한다. 내가 가진 기운과 현재 지구의 기운의 관계 역시 쉼 없이 변하는 것이다. 운은 계속 변화하며 흘러가고, 우리는 운의 주인이 되었다가 운이 없어 쓸쓸하게 좌절을 겪기도 한다. 운運이라는 단어는 '돌다, 움직인다'는 의미를 가지고 있는데 한시도 쉬지 않고 변하는 지구의 기운, 그리고 매 순간 변화하는 인간의 삶을 잘 드러낸다.

계묘년 갑인월의 두 사람

금 기운이 강한 사람

목 기운이 강한 사람

2023년 2월은 계묘년의 갑인월이다. 연주, 월주에 목 기운이 세 개나 자리 잡고 있고, 연간의 계수가 목 기운을 생하므로 목 기운이 아주 강한 시기이다. 일간이 금이고 금 기운이 많은 사주에서는 목 기운이 중요한 역할을 한다. 즉 목이 용신이다. 이런 사주에서는 금을 꺼리는데 금이 목을 극하는 기신이어서 용신이 위험에 처할 수 있기 때문이다. 이런 사주를 가진 사람은 이 시기 즉, 계묘년 갑인월에 삶의 행복도가 높을 것이다. 왜냐면 운의 요인(용신 즉, 운으로 추가된 목 기운)에 의해 사주원국의 균형이 유지되기 때문이다.

반면 일간이 목이고 목 기운이 많은 사주에서는 토 기운이 좋은 역할을 한다. 즉 토가 용신이다. 이런 사주에서는 목을 꺼리는데 목이 토를 극하는 기신이어서 용신이 위험에 처할 수 있기 때문이다. 이런 사주를 가진 사람은 이 시기 즉, 계묘년 갑인월에 삶의 행복도가 낮을 것이다. 마찬가지로 운의 요인(기신 즉, 운으로 추가된 목 기운)에 의해 사주원국의 균형이 무너지기 때문이다.

같은 지구의 기운이라고 해도 타고난 기운과 어떻게 조화를 이루느냐에 따라 어떤 사람에게는 웃는 시기가 되고, 어떤 사람에게는 견뎌야 하는 시기가 된다. 이런 의미에서 한 시점의 인간의 길흉은 태어난 순간에 부여받은 사주의 기운과 현재 지구상의 사주의 기운의 조화로 결정된다고 볼 수 있다. 즉 내가 부여받은 기운인 사주(4)와, 현재 지구상의 기운인 사주(4)가 결합한 팔주(8)를 해석해 현재의 상황을 살펴야 하는 것이다. 하지만 많은 글자를 조합할수록 경우의 수가 많아지므로, 결국 해석할 수 없는 지경에 이른다. 따라서 운은 보통 세운(1년 단위의 운)만 고려한다. 조금 더 나아갈 경우에도 최대 월운(한 달 단위의 운)까지만 고려하여 미래를 예측한다.

사주원국과 세운의 결합

2023년 계묘년 세운		시주	일주	월주	연주
癸 계	천간	丙 병화	辛 신금	庚 경금	辛 신금
卯 묘	지지	申 신금	酉 유금	子 자수	未 미토
		사주원국			

사주원국과 세운, 월운의 결합

갑인월 월운	2023년 계묘년 세운		시주	일주	월주	연주
甲 갑	癸 계	천간	丙 병화	辛 신금	庚 경금	辛 신금
寅 인	卯 묘	지지	申 신금	酉 유금	子 자수	未 미토
			사주원국			

운의 종류

운은 태어날 때 받은 기운과 현재 지구상의 기운의 관계를 말하지만, 좁은 의미에서는 나에게 흘러들어 온 기운(유운 流運)을 말한다. 혹은 사주원국의 8개 글자 이외에 변수로 추가된 기운을 말한다.

운은 두 종류로 나눌 수 있다.

첫 번째 운은 현재 지구상의 기운이다. 현재 지구에서 살아가는 모든 사람이 함께 경험하는 기운이며 순간순간 변화하는 기운이다. 1년 단위의 운을 세운, 1달 단위의 운을 월운, 하루 단위의 운을 일운, 2시간 단위의 운을 시운이라고 한다.

두 번째 운은 인간은, 혹은 사주원국은 스스로 주요한 운을 만들어 내는데 이 운을 이른다. 인간을 이루는 기운이 새로운 파장을 만들어 내는 것으로 볼 수 있는데, 사주원국이 만들어 내는 새로운 파장을 바로 '대운'이라고 부른다. 사주원국의 기운이 고유하게 빚어내는 기운인 대운은 월주를 출발점으로 삼으며 10년 주기로 변한다. 예를 들어, 갑인월에 태어난 사람이 있다면 을묘–병진–정사–무오–기미 등으로 대운이 흘러가며•, 유년기에는 을묘의 기운, 10대 때는 병진의 기운이 작용한다.

60간지

甲子 갑자	乙丑 을축	丙寅 병인	丁卯 정묘	戊辰 무진	己巳 기사	庚午 경오	辛未 신미	壬申 임신	癸酉 계유	甲戌 갑술	乙亥 을해
丙子 병자	丁丑 정축	戊寅 무인	己卯 기묘	庚辰 경진	辛巳 신사	壬午 임오	癸未 계미	甲申 갑신	乙酉 을유	丙戌 병술	丁亥 정해
戊子 무자	己丑 기축	庚寅 경인	辛卯 신묘	壬辰 임진	癸巳 계사	甲午 갑오	乙未 을미	丙申 병신	丁酉 정유	戊戌 무술	己亥 기해
庚子 경자	辛丑 신축	壬寅 임인	癸卯 계묘	甲辰 갑진	乙巳 을사	丙午 병오	丁未 정미	戊申 무신	己酉 기유	庚戌 경술	辛亥 신해
壬子 임자	癸丑 계축	甲寅 갑인	乙卯 을묘	丙辰 병진	丁巳 정사	戊午 무오	己未 기미	庚申 경신	辛酉 신유	壬戌 임술	癸亥 계해

• 대운의 방향은 성별과 연간의 음양에 따라 순방향, 역방향으로 나뉜다. 남성의 경우 연간이 양간이면 순방향, 음간이면 역방향으로 흘러간다. 여성의 경우엔 연간이 음간이면 순방향, 양간이면 역방향으로 흘러간다. 예를 들어 갑인월에 태어난 남성이 있다면, 연간이 양간일 경우 대운은 순방향(을묘, 병진, 정사, 무오…)으로 흐르고, 연간이 음간일 경우엔 대운이 역방향(계축, 임자, 신해, 경술…)으로 흘러간다.

사주원국과 대운의 흐름

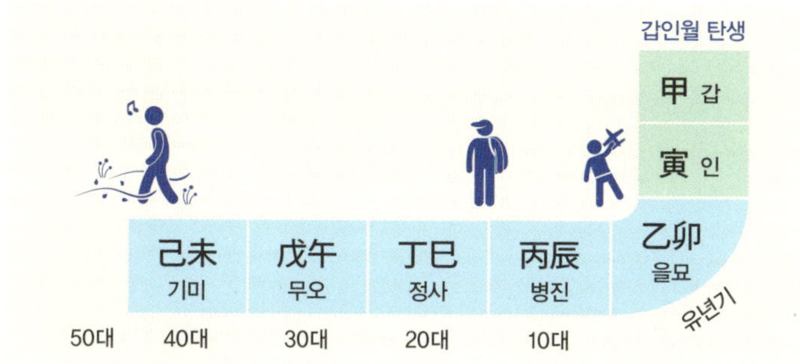

사주원국과 대운의 결합. 30대에 무오 대운이 들어온 경우

무오 대운 30대		시주	일주	월주	연주
戊 무	천간	庚 경금	己 기토	甲 갑목	戊 무토
午 오	지지	午 오화	酉 유금	寅 인목	辰 진토
무오 대운 30대		사주원국			

사주원국과 대운, 세운의 결합

2023년 계묘년 세운	무오 대운 36세		시주	일주	월주	연주
癸 계	戊 무	천간	庚 경금	己 기토	甲 갑목	戊 무토
卯 묘	午 오	지지	午 오화	酉 유금	寅 인목	辰 진토
2023년 계묘년 세운	무오 대운 36세		사주원국 1988년 2월 24일생			

결국 현재 한 사람의 기운은 사주원국과 대운, 세운, 월운, 일운, 시운의 조화로 결정된다. 인간의 지력으로 9주 18자의 조합의 의미를 밝혀내기는 어려우므로 사주를 해석할 때는 주로 사주원국과 대운, 세운의 조화만을 따진다.

대운의 의미와 적용

모든 사주가 대운을 빚어낸다는 것은 어떤 의미일까? 사주원국이라는 총체적인 기운은 지나가야 할 길을 스스로 예비하는 의미를 가진다. 태어난 순간 인간이 부여받은 기운이 앞으로 걸어가야 할 길까지도 결정하는 것이다. 대운大運의 대大는 10년이라는 긴 기간을 좌우한다는 의미이면서 강한 영향력을 지니고 있다는 의미이기도 하다.

대운의 영향력이 큰 이유는 대운이 바로 사주원국의 욕망이자 목소리이기 때문이다. 다른 곳에서 들어온 운이 아니라, 스스로 만들어 낸 운의 행로이기에 더욱 큰 영향력을 발휘한다. 세운, 월운을 적용하기에 앞서, 대운의 상황을 잘 파악해야 하는 이유다.

대운은 스스로가 선택한 환경으로 볼 수 있다. 이를테면 수 대운의 시기가 되면 인간은 스스로 수 기운의 방향성대로 삶을 이끌어 가고, 그로 인해 수 기운의 환경이 조성된다. 수 기운에

시나브로 작용하는 대운

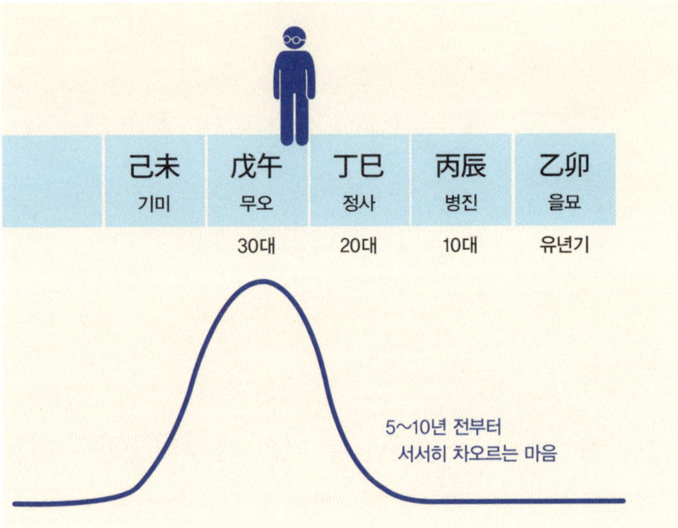

해당하는 외국행, 성적인 활동, 여유로운 삶을 선택하여 그런 환경에 진입하는 것이다. 십신의 관점으로는 재성 대운의 시기가 되면 이성과의 인연, 재물 활동과 넓은 대인 관계에 관심을 갖게 되고, 그런 환경이 조성된다. 대운은 사주원국에서 빚어진 목소리이기에 스스로 선택하는 의미가 강하다.

중요한 것은 대운이 들어오기 훨씬 이전 시기부터 그런 욕망이 인간의 마음속에서 싹튼다는 것이다. 재성 대운•을 예로 들어 보면 대운이 들어오기 5~10년 전부터 조금씩 재성과 관련한 마음이 싹튼다. 3~4년을 앞두고는 강하게 욕망에 사로잡히

• 대운의 간지가 일간과 재성 관계일 때를 말한다.

소운법의 원리

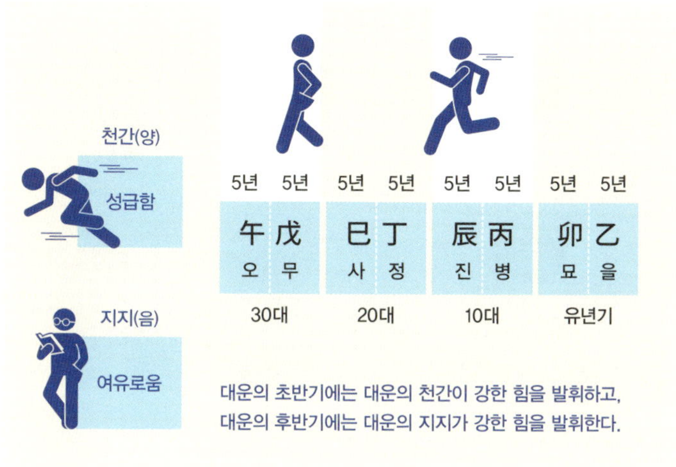

고, 1~2년을 앞두고는 이미 완전히 대운의 방향성으로 진입한다. 대운은 외부의 기운이 아니라 태어난 순간 이미 결정되어 준비된 방향성이므로 인간은 무의식적으로 대운의 기운을 늘 안고 살아간다. 그래서 대운이 들어오기 이전부터 시나브로 대운의 기운이 작동하는 것이다.

운을 적용할 때 천간과 지지를 한꺼번에 고려하면서 사주원국과의 조화를 판단해야 하는 것이 정설이다. 하지만 대운의 경우는 반드시 천간과 지지를 나눠서 판단해야 한다. 대운 초반의 시기는 천간의 영향력이 강하고, 대운 후반의 시기는 지지의 영향력이 강하다. 대운의 초반 5년은 천간에 해당하는 오행과 십신의 운으로 해석해야 하고, 대운의 후반 5년은 지지에 해당하는 오행과 십신의 운으로 해석해야 한다. 대운을 반으로 잘라서

오행과 십신을 적용한 대운

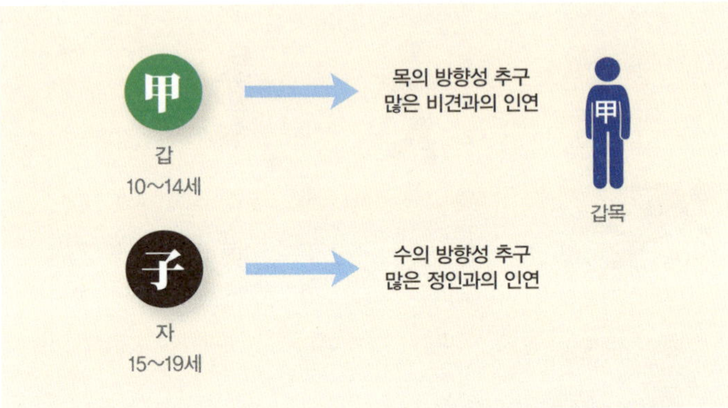

적용한다고 하여 이런 해석법을 소운법小運法이라고 부른다.

소운법을 쓰는 근거는 바로 천간과 지지의 특성에 있다. 하나의 간지는 편의상 천간과 지지 둘로 나눌 수 있을 뿐 실제로는 하나로 뭉쳐진 기운이다. 만물은 하나로 뭉치려면 반드시 음양의 이중 구조를 갖추어야 하고, 음양이 서로 기운을 주고받으면서 조화를 이루어야만 이질적인 것이 하나가 될 수 있다. 간지는 하나이되 천간과 지지로 나눌 수 있다면, 천간과 지지 중 하나는 양의 역할, 하나는 음의 역할을 담당해야 한다. 순수하고 추동하는 천간이 양, 복잡하고 현실적인 지지가 음이다. 양은 추동하고 성급하게 나서는 성향이 있고, 음은 정적이고 현실적으로 관망하는 성향이 있다. 따라서 대운으로 작용하는 기운 역시 초반에는 천간의 기운이 강하게 작용하고, 후반에는 지지의 기운이 강하게 작용하는 것이다.

대운을 해석하는 방법은 두 가지이다. 첫 번째 방법은 오행과

용신을 적용한 대운

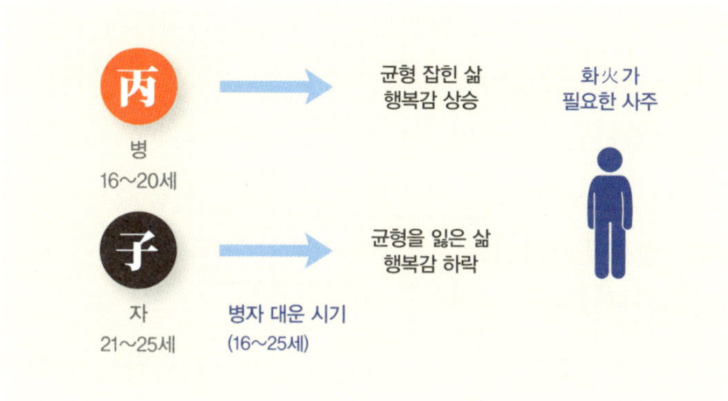

십신으로 해석하는 것이다. 갑목 일간의 사주에서 10세 때 갑자라는 대운이 왔다면 대략 10세부터 14세까지는 갑목의 힘이 강하게 좌우하고, 갑목에 해당하는 십신인 비견의 힘이 강하게 작용한다. 오행 목의 방향성을 추구할 것이고, 비견과 인연이 많으리라 예상할 수 있다. 비견을 추구한 결과가 길하냐 흉하냐와는 별개로 비견과의 인연이 많아지는 환경이 조성되고, 스스로가 그런 선택을 한다고 볼 수 있다. 대략 15세부터 19세까지는 자수의 힘이 강하게 작용하고, 자수에 해당하는 십신인 정인의 힘이 강하게 작용한다. 오행 수의 방향성을 추구할 것이고, 정인과의 인연이 많으리라 예상할 수 있다. 마찬가지로 수를 추구하는 것이 좋으냐 나쁘냐와는 별개로 수 기운이나 정인과의 인연이 강화된다.

두 번째는 용신으로 해석하는 것이다. 오행과 십신으로 삶의 방향성을 예측했다면, 용신으로는 길흉을 예측할 수 있다. 용신이 화인 사주가 병자라는 대운을 만났다면, 대운의 초반 5년 동안에는 대운의 천간 병화의 기운에 의해 삶의 균형을 잘 잡을 수 있기에 크게 성취하리라고 예상할 수 있다. 반면 대운의 후반 5년 동안에는 대운의 지지 자수의 기운에 의해 삶의 균형이 흔들린다. 용신을 극하는 기신인 자수가 운으로 들어오기 때문이다. 성취가 제한되고 좌절을 경험할 수 있음을 암시한다. 용신의 힘이 강화되는 오행(용신이나 희신)이 대운으로 들어오면 그 시기는 균형을 잘 잡을 수 있는 반면 용신을 극하는 오행(기신)이 대운으로 들어오면 균형이 무너진다. 일단 용신을 잘 찾으면, 대운의 흐름을 통해 어떤 시기에 크게 성취하고, 어떤 시기에 성취가 제한되는지 판단할 수 있는 것이다.

세운의 의미와 적용

대운이 사주원국에서 비롯된 운이라면, 세운(월운, 일운 등)은 현재 시점의 지구의 기운이다. 인간의 선택, 심리, 사주원국의 상황과 전혀 관계없이 주어진 환경 요인인 것이다. 세운은 모든 사람에게 동시에 주어지는 것이지만 개개인의 사주에 따라 전혀 다른 의미로 다가온다. 무술년의 경우 토의 기운이 아주 강한 해인데, 토 기운이 용신인 사람에게는 좋은 환경이 되고, 토 기운이 기신인 사람에게는 좋지 않은 환경이 된다. 목 기운이 많은 사람에게 무술이라는 넓은 대지 같은 환경은 도움이 되지만, 토 기운이 강한 이들에게는 부담이 되는 것이다. 주어진 환경은 똑같지만, 사주원국의 특성에 따라 결과가 달라진다.

세운의 경우, 1년 단위의 운이므로 대세에 지장을 준다고 보기는 어렵다. 잠깐의 부침, 짧은 고통과 환희의 의미로 봐야 한다. 전체 운의 흐름은 대운에서 좌우되며, 세운에서는 극명한 작용이 일어나지 않는 경우가 많다. 따라서 용신을 찾거나, 사

오행과 십신을 적용한 세운

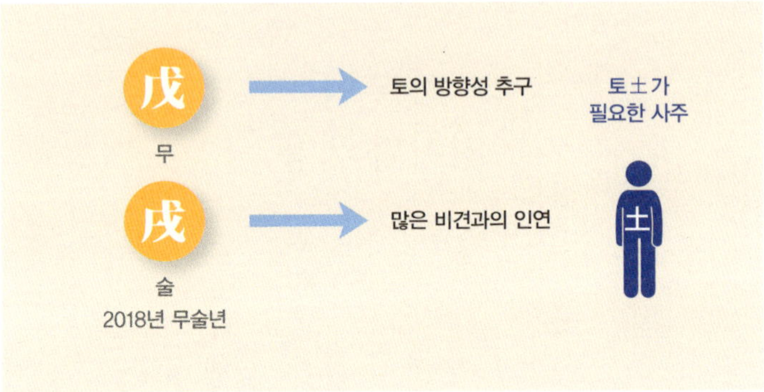

용신을 적용한 세운

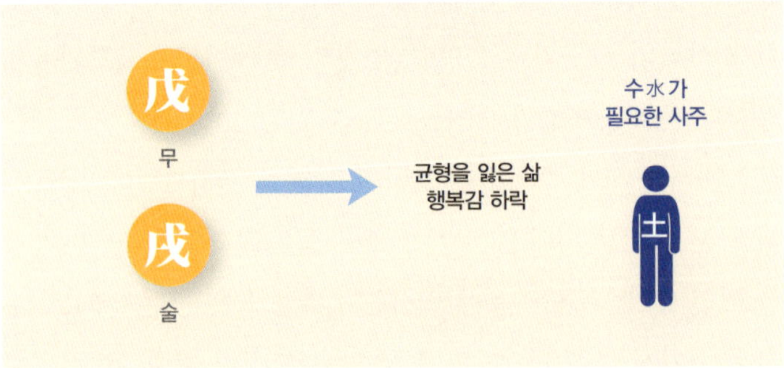

주의 균형을 살필 때, 1년 단위의 삶의 여정에 집착할 필요는 없다. 너무 가까이서 들여다보면 전체 흐름을 놓칠 수 있기 때문이다. 한발 뒤로 떨어져서 5년 단위로 운의 흐름과 삶의 이력을 관찰하는 것이 사주를 정확하게 읽을 수 있는 방법이다.

세운의 해석 방법도 대운의 해석 방법과 같다. 오행과 십신으로 해석하여, 그러한 환경이 조성될 것임을 예측할 수 있다. 또한 용신의 해석을 통해 성취와 좌절도 예측할 수 있다. 용신을 도와주는 세운이 오면 좋고, 용신을 극하는 세운이 오면 좋지 않다고 해석할 수 있는 것이다. 세운을 해석할 때도 소운법을 적용할 수 있는데, 세운의 천간은 대략 2~7월까지 영향을 미치고, 세운의 지지는 8~1월까지 영향을 미친다. 하지만 대운에 비해 소운법의 작용이 크지는 않다. 그러므로 기본적으로는 천간과 지지를 모두 고려하는 것이 좋다.

운의 자리와 작용

사주원국은 8개 기운의 자리가 각각 정해져 있고, 그 자리들은 매우 중요한 의미를 지닌다. 기운의 종류와 개수가 같아도 각 기운이 위치한 자리에 따라 사주원국의 의미가 완전히 달라지는 것이다. 예를 들어 똑같이 금이 3개, 토가 5개인 사주라고 하더라도, 금과 토의 위치에 따라 사주의 의미가 전혀 달라진다. 그만큼 사주원국에서는 오행이 위치한 자리가 중요한데, 대운은 어떤 방식으로 영향을 끼칠까? 즉 사주팔자의 도표에서 대운은 어느 자리에 영향을 끼칠까? 대운을 비롯해 운이 사주원국에 영향을 미치는 방식은 크게 세 가지이다.

일단 운은 사주원국 전체에 공평하게 영향을 미친다. 대운이나 세운은 시주 옆이나, 월주 옆, 연주 옆에 오는 것이 아니다. 운이 작용을 미치는 자리가 특별히 정해져 있지 않다. 운은 사주원국 전체의 기운과 동시에 교류한다.

두 번째, 운의 천간은 천간에 큰 영향을 미치고, 운의 지지는

사주원국 전체와 소통하는 운의 기운

지지에 큰 영향을 미친다. 운의 기운은 사주원국 전체에 영향을 미치지만, 그중 운의 천간은 사주원국의 천간에 더 큰 영향력을 발휘하고, 운의 지지는 사주원국의 지지에 더 큰 영향력을 발휘한다. 만약 사주원국의 천간에 용신이 있다면 운의 천

천간은 천간끼리, 지지는 지지끼리 작용하는 운의 기운

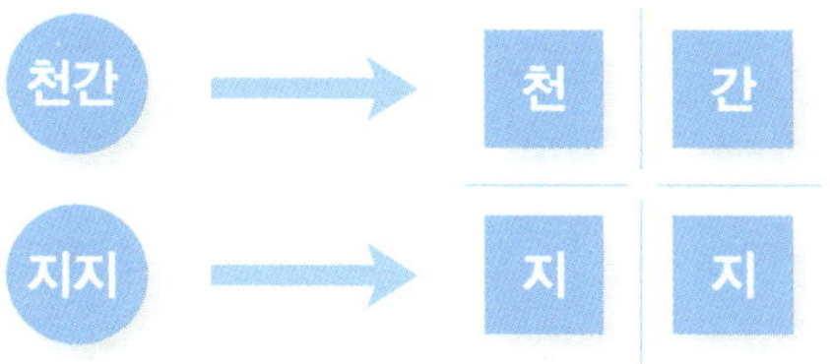

천간이 지지에, 지지가 천간에 영향을 미치기도 하지만,
같은 층위에 있는 기운끼리 더 크게 영향을 주고받는다.

운의 적극적인 작용

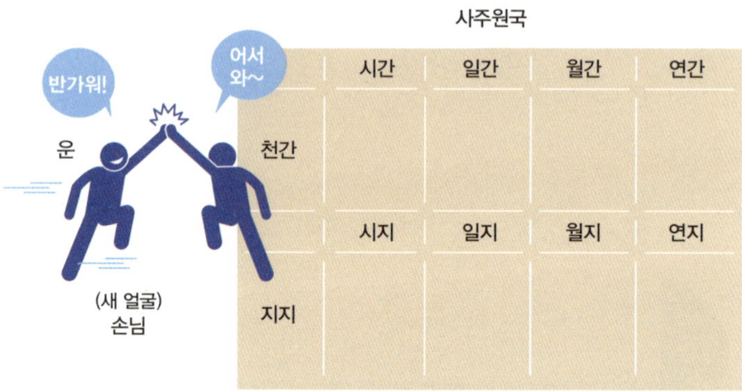

간에 기신이 들어올 때 기신의 부정성이 더 크다. 반면 지지에 용신이 있을 경우에는 운의 천간에 기신이 들어올 때 기신의 부정성이 반감된다.

세 번째, 운은 사주원국과 강하게 상호 작용을 한다. 사주원국 안에서 팔자의 기운들은 서로 작용한다. 친숙한 기운들끼리는 생하며 기운을 소통하고, 낯선 기운끼리는 극하고 합을 하며 교류한다. 그런데 운으로 들어오는 기운은 사주원국 입장에서는 매우 이질적이고 신기한 기운이다. 새 얼굴이라서 반갑지만, 금방 헤어져야 해서 아쉬운 손님 같은 존재다. 사주원국은 운의 기운을 강하게 끌어당기고, 운의 기운 역시 강하게 사주원국으로 달려간다. 운의 기운은 사주원국의 품 안에 뛰어들어 관계를 맺는다. 그로 인해 운에 의한 합의 작용, 극의 작용, 충의 작용이 분명하고 강하게 일어나는 것이다.

대운과 세운의 결합

본질적으로 대운이나 세운은 모두 특정 시기에 영향을 미치고 나서 사라지는 기운이다. 지나가는 손님 같은 것이다. 대운이 큰 형국을 좌우하고, 세운은 세부적인 형세를 좌우하지만, 어느 것이 먼저다, 어느 기운이 더 중요하다고 보기는 어렵다. '세운은 무너져도 되지만, 대운은 무너지면 안 된다', '대운이 무력해도 세운이 좋으면 좋다'는 양자택일의 방법론은 지양해야 한다. 대운과 세운을 나란히 놓고, 같은 힘과 영향력을 지니는 것으로 판단하는 것이 좋다.

중요한 것은 손님은 손님끼리 먼저 만난다는 것이다. 대운과 사주원국의 교류, 세운과 사주원국의 교류, 대운과 세운의 교류 중 그 영향력이 가장 크고 극명한 것이 바로 대운과 세운의 교류이다. 대운이나 세운에 용신이 없다면 대운과 세운의 교류는 큰 의미가 없는데, 대운이나 세운에 용신이 있는 경우라면 유의해서 살펴야 한다.

대운과 세운에서 용신이 극을 당하는 경우

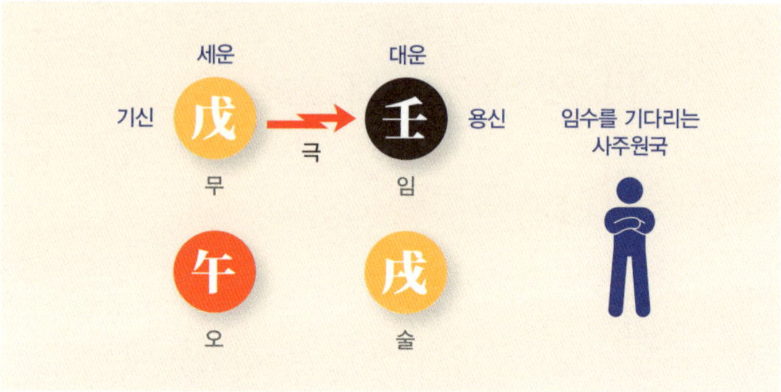

대운의 용신을 세운이 극하는 경우는 유심히 살펴야 한다.

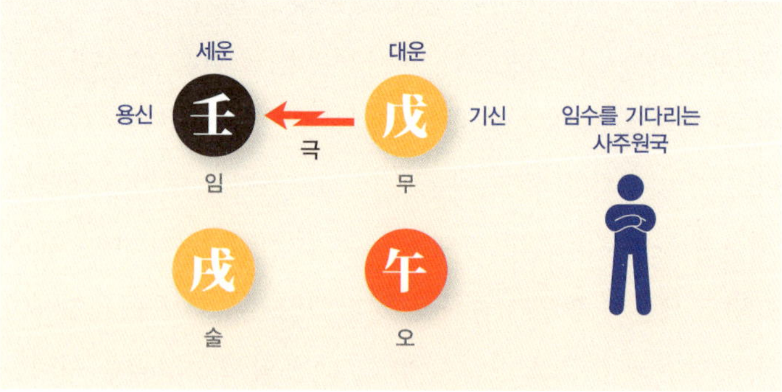

대운에서 기신이 기다리고 있는데
세운으로 용신이 들어온 경우에도 유심히 살펴야 한다.

운으로 용신이 들어오는 경우 사주원국은 아주 기뻐하며 용신을 반길 것이다. 사주원국의 균형이 완전히 무너진 경우라면 운으로 용신이 들어와도 영향력이 크지 않지만, 대부분의 경우 사주원국은 용신 운을 크게 반긴다. 그런데 대운으로 용신이 들어오고 세운으로 용신을 극하는 운이 들어온 경우, 대운에서 용신을 극하는 운이 기다리고 있는데 세운으로 용신이 들어온 경우, 즉 운에서 용신이 극을 당한 경우는 오히려 부정성이 커진다. 대운과 세운 사이에서 용신의 극이 이루어진 경우는 삶의 큰 변동을 암시하기에 반드시 점검해야 하겠다. 물론 대운의 천간과 세운의 천간, 대운의 지지와 세운의 지지끼리 더욱 강하게 극을 하기에 천간끼리의 극, 지지끼리의 극은 더욱 면밀히 살펴야 한다.

에필로그

인간은 평등하게 존엄하고 누구나 최대의 행복을 누려야 한다는 사상, 나는 아름다운 존재이며 매 순간 행복해야 한다는 생각이 우리를 지배하고 있다.

나는 완전한 존재이며 따라서 마땅히 행복을 누려야 한다는 생각, 인간은 누구나 평등하게 행복을 누릴 수 있다는 관념은 오히려 우리를 불행하게 만든다.

현실적으로 우리는 모두 다른 조건에서 불완전한 기운을 타고났고, 완전한 행복에 도달하는 길은 멀다. 게다가 인간을 이루는 기운, 즉 사주는 무슨 수를 쓰더라도 절대 바꿀 수 없다.

타고난 기운을 절대로 바꿀 수 없다는 것, 게다가 그 기운이 우리의 삶을 이끌어 나간다는 사실은 우리를 슬프게 한다.

하지만 이 간단하고도 엄중한 사실을 통해 우리는 스스로를 이해하고 용서할 수 있다. 또한 자신을 있는 그대로 받아들인

이후에 방향을 모색할 수 있다. 내 사주에 많은 기운이 무엇이고, 용신은 무엇이며, 그리고 대운의 방향성은 무엇인지 앎으로써 미래를 설계할 수 있는 것이다.

사주가 없는 인간은 없다. 우리는 불완전하지만 고유한 기운을 타고났다. 그 누구도 바꿀 수 없는 자신만의 기운을 이해할 수 있다면 행복과 불행의 이분법에 사로잡히지 않은 채 당당하게 자신의 길을 걸을 수 있을 것이다.

《나의 사주명리》가 진정 '나'를 깨울 수 있기를 바란다.

나의 사주명리 — 심화 편

초판 1쇄 발행 2023년 6월 26일
초판 5쇄 발행 2026년 1월 20일

지은이 | 현묘
펴낸이 | 김연우
펴낸곳 | (주)태학사
등록 | 제406-2020-000008호
주소 | 경기도 파주시 광인사길 217
전화 | 031-955-7580
전송 | 031-955-0910
전자우편 | thspub@daum.net
홈페이지 | www.thaehaksa.com

편집 | 조윤형 여미숙 김태훈
마케팅 | 김일신
경영지원 | 김영지

전2권 값 50,000원
ISBN 979-11-6810-402-0 04150
979-11-6810-403-7 세트

도서출판 날은 (주)태학사의 인문 · 에세이 브랜드입니다.

책임편집 여미숙
디자인 이유나